D0363246

SOUS UN CIEL IMMENSE

CATHERINE DE SAINT PHALLE

SOUS UN CIEL IMMENSE

roman

SABINE WESPIESER ÉDITEUR
13, RUE SÉGUIER, PARIS VI
2015

*Ce livre paraît simultanément en anglais chez l'éditeur Transit Lounge (Melbourne, Australie)
sous le titre* On Brunswick Ground.

Pour Paul, l'amour de ma vie.

1

Le bar The Alderman

Je suis perchée sur un tabouret de bar à Melbourne, avec un livre et une bière. Ma présence est immergée dans un bain de voix, tel le fruit d'un arbre étranger. Plongée dans l'histoire, d'une gorgée à l'autre, d'une page sur l'autre, j'attrape un commentaire au vol : « Pas d'inquiétude, c'est tout bon. » Cela me ramène à la surface, et j'installe mes pieds plus solidement sur le barreau de mon tabouret.

Le brouhaha renvoie comme les échos d'une marina. Le *cloc cloc* des coques s'entrechoquant, une petite éclaboussure, un petit gargouillis, affleurent aux abords de ma lecture. Le bar lui-même forme un réseau d'étoiles et de lumières en une nuit qui n'est plus seulement tissée d'obscurité. C'est à ce moment-là que je rencontre Bernice. Elle se hisse sur le tabouret voisin, et se laisse choir avec un soupir. Sa présence est immédiate. Même si elle commence par ne rien dire, son inquiétude l'entoure, épaisse comme du velours. Les sourcils froncés au-dessus de ses joues de bébé, elle commande un verre. Sous une frange noire, la propriétaire du bar observe ses clients de son regard vert et sensuel. Ces deux femmes se connaissent, ma voisine est visiblement une habituée, mais elles sont si différentes, c'en est drôle. L'une est secrète et ténébreuse. L'autre, avec sa posture enfantine et ses coudes à fossettes échoués de chaque côté de son verre, est une Bridget Jones rousse. Elle sombre dans un silence qui infiltre ma lecture. J'entends ses respirations et ses longues gorgées qui ressemblent à des sanglots.

« Qu'est-ce que tu lis ? » demande-t-elle soudain.

Je lui montre la couverture des *Vestiges du Jour* d'Ishiguro et elle gigote sur son siège.

« Oooh, j'ai adoré. »

L'amour partagé d'un livre vous fait toujours vous sentir comme « Docteur Livingstone, je présume ? »

« Je suis Bernice », me dit-elle et, sans faire de commentaire sur mon accent, elle vide son verre cul sec. « Je vais faire une FIV. Trente-neuf ans. Il est moins une. »

Elle pose les mots sur le bar comme des poids qu'elle ne peut plus porter partout avec elle. J'ai du mal avec les acronymes, et je hoche la tête d'un air encourageant. Sans donner l'impression de s'adresser à une ilote, elle traduit :

« Je vais essayer d'avoir un enfant par fécondation in vitro. »

Un autre soupir soulève ses épaules.

« J'ai vu un donneur se présenter à l'hôpital aujourd'hui. Il avait une tête épouvantable. J'étais sûre que c'était un donneur car j'ai reconnu l'étiquette sur le sac qu'il tenait à la main. »

Elle n'a pas vraiment envie de se lancer, explique-t-elle, mais elle n'a plus le choix. Les femmes de son âge ont moins de cinq pour cent de chances de tomber enceintes naturellement. Elle jette un regard de défi autour d'elle.

« Je pourrais tenter ma chance à cinq pour cent avec l'aventure d'un soir. Mais ce n'est pas le bon jour du mois », gémit-elle.

Bernice s'explique – rien n'est laissé dans l'ombre. Vouloir un enfant est un si vieux désir. L'écouter, c'est entendre une femme sur les remparts d'une ville antique, menaçant une puissance supérieure, sommant les dieux d'exaucer son vœu.

J'imagine plutôt un enfant venir de son propre gré, sur les talons d'un vent du désert, choisissant une personne particulière pour le mettre au monde. Un enfant *arrive*. Ce n'est sûrement pas une chose que l'on peut *obtenir*. Bernice parle de landaus à présent.

« Les meilleurs sont anglais, déclare-t-elle, Silver Cross. On peut les trouver beaucoup moins chers sur Internet. Le Bugaboo, c'est pour les yuppies et les andouilles. Le Stokke se transforme en chaise d'enfant. Imagine : deux meubles encombrants en un seul. »

Elle reprend son souffle.

« Mais mon favori reste le Silver Cross. »

Le vieux landau traditionnel est, pour elle, la voie royale. Elle le décrit en détail – une carrosserie bleu marine avec de grandes roues blanches. Elle pourrait aussi bien décrire le carrosse de la reine ; il ne manque que la garde à cheval au trot.

« Bien sûr, je ne choisirai pas celui-là, ajoute Bernice à regret, on ne peut pas le faire rentrer dans une voiture. »

Je préférerais porter un enfant contre moi dans une écharpe et le bercer avec mes pas, mes battements de cœur, même mes rêveries, plutôt qu'avec un landau Silver Cross. Mais j'écarte de telles pensées. J'apprends que c'est très pratique d'avoir une capsule Maxi-Cosi, qui s'adapte au châssis du Silver Cross.

« Plus besoin de siège bébé ! À nouveau deux en un ! »

Elle est absurde, mais convaincante. Bernice m'explique qu'elle a été élevée par sa grand-mère. Elle est l'enfant d'une autre époque. Ses valeurs tendent vers celles des générations précédentes comme un tournesol vers un soleil plus ancien.

« Ah, soupire-t-elle, les Anglais savent fabriquer les landaus. Ils font même un bassinet qui se transforme en berceau, puis devient un lit junior. Que peut-on espérer de mieux ? »

En effet... Cependant je me demande pourquoi cette information lui tient plus à cœur que rêver du minuscule étranger qui pourrait être en orbite autour d'elle. J'apprends aussi que Bernice achète depuis des années des vêtements pour les bébés de ses amies. Elle donne régulièrement des goûters et lâche tout pour faire du baby-sitting. Mais elle craint d'avoir des triplés avec la FIV – donner naissance à des jumeaux est assez courant dans sa famille.

« Ce serait difficile de se débrouiller seule avec trois bébés », spécule-t-elle.

Spermatozoïde désincarné, le père inconnu flotte également dans les parages. Bernice devra feuilleter un catalogue de visages pour choisir celui du géniteur de son bébé. Comment l'enfant va-t-il parvenir à guider les pensées errantes de sa future mère vers le bon ?

Le monde de la drague est à la fois son enfer et son idée fixe.

« J'ai *essayé* », dit-elle avec un soupir appuyé.

Soudain, je prends conscience de tous les hommes assis autour de nous dans le bar, en groupe, solitaires ou avec une femme. Des grands, des blonds, des bruns, des bronzés, des pâlots, des hommes aux mains poilues ou à la nuque épaisse, des hommes au visage bienveillant ou calculateur, des hommes au menton décidé ou sans menton, des hommes au sourire cousu à leurs muscles faciaux – des hommes dont on a besoin pour faire un bébé. Elle en voit tous les jours à son travail.

« Je ne comprends pas les hommes, gémit-elle. La Génération X, quel cauchemar. Ils ne sont pas capables de se commettre. »

Le verbe « se commettre » me paraît obscur. Je le saisis à un certain niveau, mais le déclic ne se fait pas tout à fait dans ma tête. Ce n'est pas un vrai mot pour moi, mais plutôt une moitié ou un quart de mot. Je le cherche même dans le dictionnaire de mon téléphone portable. À l'origine, cela veut dire « prendre en charge, confier, unir, connecter, joindre, rassembler ». Je prends un moment pour démêler tous ces termes, comme si on les avait retournés dans un saladier. Google admet que l'évolution du verbe « commettre » en une gamme plus moderne de définitions n'est pas entièrement claire. Bien sûr, on *commet* un crime. Mais *commet*-on l'amour ? Étrangement, la dernière et plus récente définition − « s'engager » − est influencée par l'existentialisme et l'engagement moral de Sartre. Quand on pense au parcours de Sartre avec les femmes, c'est assez ironique, mais Bernice accepterait cette définition. Les hommes qu'elle rencontre ne sont pas capables de s'engager, ni émotionnellement, ni moralement, dans son projet.

Il est encore tôt quand je décide de quitter l'Alderman. Bernice cogne son verre vide sur le bar et sort avec moi, son minuscule sac jeté derrière l'épaule comme un paquetage de marin. Je la raccompagne chez elle à pied parce qu'elle a bu trop de Pimm's N°1. Sur le pas de sa porte, ses longs doigts se posent sur mon bras pour me retenir par la manche. Elle s'inquiète de me voir rentrer seule.

« Laisse-moi t'appeler un taxi. »

Les rues ne sont pas désertes. Je secoue la tête et m'éloigne à reculons en lui faisant des signes.

« Appelle-moi quand tu seras arrivée chez toi », insiste-t-elle, en vacillant vers moi pour me tendre sa carte. « On ne sera jamais trop prudentes après ce qui est arrivé à cette pauvre fille. »

Il y avait aujourd'hui une marche pour la paix en mémoire d'une jeune femme appelée Jill Meagher. Elle a été violée et étranglée à Brunswick, et cela a déchiré le quartier. La qualité de la lumière elle-même semble en avoir subi le dommage, elle laisse à présent filtrer quelque chose qui n'était pas là auparavant. Il ne s'agit pas seulement de peur ou de danger, mais plutôt d'une présence subtile occupant une place invisible dans l'air autour de nous. Même une étrangère comme moi le ressent. Appeler cela « mal » serait par trop rudimentaire, comme si le mot était trop court, trop simpliste pour exprimer une constellation de sens.

Je pense à l'homme en prison. Il a déjà tenté de se tuer. Et, bien qu'ils soient à présent séparés, il a une femme et des enfants – une famille qui lui tenait probablement à cœur. À présent, il a *commis* un crime qui a non seulement tranché net la vie du mari et de la famille de cette femme, mais aussi la sienne. Je me demande quelle peine lui a été infligée dans son passé, quelle souffrance est revenue comme un boomerang dévaler sur lui.

Le dernier regard que nous ayons de Jill Meagher vivante est sur l'enregistrement de vidéosurveillance d'une boutique de robes de mariées. Quelque chose dans le mariage pue la mort. La rigidité cadavérique de la marche nuptiale, la robe blanche sacrificielle, la foule silencieuse dans l'église ingérant le rite, les larmes de la mère. Au moment où le couple s'offre aux mœurs régnantes de la société, elle ressent la transformation de sa progéniture. Elle sait que c'est la mort de ce que sa fille ou son fils était autrefois. Une boutique de mariage : quelle triste ironie. Aristée, l'apiculteur, tente de violer la femme d'Orphée le jour de leurs noces. Alors qu'Eurydice court pour lui échapper, une vipère lui pique la cheville. Orphée va aux enfers, mais il ne peut pas plus la récupérer que tous les enquêteurs et tous les policiers du monde ne peuvent ramener Jill Meagher. Ses photos éclaboussant la une des journaux, la marche en son honneur, ne sont que le regard en arrière d'Orphée sur l'Hadès alors qu'Eurydice virevolte loin de lui.

Dans le journal *The Age*, je vois la nuque de son tueur et la main du policier guidant sa tête à l'intérieur d'une voiture. C'est une nuque étonnamment jeune, couverte de taches de rousseur, dont l'humanité même effraie. La déchirure dans la lumière de Brunswick est là, dans cette nuque. Ils semblent toujours pousser les suspects dans les voitures de cette façon. La main de la loi est sur lui à présent – il n'est plus directement responsable de ses actes, pas même du heurt de sa propre tête contre la tôle. Un avocat parlera à sa place. Cet homme a arpenté les rues, bu de la bière ses coudes sur un bar, regardé le football, défendu une équipe. Il a une mère – il pourrait même être un donneur de sperme.

2

CHAT

JE NE VEUX PAS ME SOUVENIR des raisons pour lesquelles je suis ici. Traçant ma route, je veux seulement me souvenir *en avant* – je me souviens de la lumière du désert qui s'insinue dans Brunswick, faisant miroiter la poussière et les auvents métalliques recourbés au-dessus des magasins, créant des espaces nocturnes et mystérieux, prêts à assimiler les ombres étrangères. Bien sûr, je ne sais pas comment cette lumière atteint les quartiers proches du centre de Melbourne. Cela n'a pas de sens, le désert est à des centaines de kilomètres. C'est probablement seulement une idée à moi – mais ici, dans Lygon Street, je m'attends toujours à voir des dunes surgir derrière le dernier drugstore 7-Eleven. Arbres, ruelles, magasins, cafés et supermarchés, tremblent entre deux réalités. Des mirages sur le point de se faufiler dans un autre monde. Et pourtant, ils restent là.

Un vent aussi inconstant que le khamsin se lève et se met à bruisser sous les auvents. Un cocktail de saisons peut tourbillonner à l'intérieur d'une seule journée. Une femme me dépasse en criant derrière son épaule :

« C'est encore ce dingue de temps melbournien. »

Tout le monde répète cette phrase avec le même ton,
la même inclinaison du menton. Un leitmotiv qui transforme ce mouvement constant entre vent, pluie et soleil,
en refuge.

Je devrais en savoir plus long sur le temps, car je fais du
jardinage pour une paysagiste. Kim est une femme maigre
et musclée, avec de grandes mains indomptées à la
volonté autonome. Ses yeux sont une absence bleue. Elle
me dépasse d'une tête. Un pied sur sa bêche, elle contemple le monde d'un regard compétent. Elle ne s'occupe pas
seulement des jardins de ses clients, elle les dessine également. Ses plans en rouleaux, attachés par un ruban,
semblent beaux. Je l'ai rencontrée alors que je marchais
dans la rue. Quand je lui ai demandé si elle avait du travail pour moi, elle a cessé de creuser tout en gardant sa
botte sur sa bêche. Son regard m'a calibrée comme pour
dire « quelle blague ». Pourtant elle m'a donné le boulot
sans autres manières. Je pouvais commencer dès le
lendemain après-midi. Après avoir dansé d'un pied sur
l'autre, j'ai fait un signe de la main à son dos déjà courbé
vers la terre. Cela m'a pris un instant pour intégrer que
j'étais à présent son employée et que, en cet instant, les
choses avaient subtilement changé entre nous. Deux
jours plus tard, mon corps ne m'appartenait déjà plus.
Pendant que je creusais, que je taillais, que je balayais,
d'étranges éclairs d'intuition s'éveillaient dans mes coudes
et mes genoux.

Toutes les après-midi, je suis avec Kim, mais, quand
nous faisons une pause pour avaler un thermos de thé et

des biscuits, aucune intimité ne s'instaure entre nous. Je voudrais apprendre le jardinage et j'admire sa façon fluide et organique d'approcher les plantes. Pourtant, quand elle m'explique quelque chose, je suis incapable d'intégrer quoi que ce soit, mon esprit m'échappe comme un banc de poissons. Je creuse un trou où elle n'en veut pas ou je vide une brouette de compost sur la mauvaise plate-bande. Tout doit être recommencé – par elle. Elle ne rechigne jamais, énonçant simplement mon erreur sans s'y appesantir. C'est pire que si elle m'incendiait. Quand je m'excuse, elle plante sa bêche en terre et toutes les horloges s'arrêtent. S'appuyant sur le manche, elle avance son long index vers mon nez :

« Les gens qui travaillent pour moi ne disent pas "pardon" tout le temps. *Ici*, on ne dit pas pardon. »

J'avale ma salive.

« Oh, pardon. »

Elle sourit d'un air désabusé, murmurant « bon sang » à mi-voix, parce qu'elle sait bien que je ne plaisante pas. Nous continuons comme ça pendant des mois.

Mitali, l'autre employée, s'entend mieux avec Kim que moi. Elles discutent de graines et de boutures avec compétence. Mitali ramène dans son sourire et sa démarche légère les noms des arbres et des variétés de graines. Ses cheveux sont un nuage nocturne, et elle a les yeux les plus sombres et les plus étincelants que j'aie jamais vus. Quand nous travaillons côte à côte, les informations qu'elle a glanées de sa conversation avec Kim semblent se transmettre directement à mes mains, soudain adroites. Les racines et les feuillages, les maladies et les insectes, se propagent dans mon esprit par pollinisation croisée.

Avec le temps, nous prenons l'habitude, Mitali et moi, de former une équipe. Un jour, à genoux près de moi tandis que nous plantons des bulbes d'arums en tandem, Mitali m'avoue combien elle est hantée par la mort de Jill Meagher. Soudain, cette morte devient bien plus qu'un tragique fait divers, quand elle dit :

« Je sais. Je n'ai jamais posé les yeux sur elle, mais je ne peux pas m'empêcher d'y penser. »

Puis ses mots meurent sur ses lèvres. Son regard se voile. Instinctivement, ma main retient son bras, comme si elle allait tomber. Elle fait une grimace, se reprend avec un froncement de sourcils et je m'écarte.

« Je suis tentée par la mort, bordel. C'est une autre option, comme au jeu. Cela m'intéresse comme prémisse ou comme alternative à la vie. »

« Tu as toujours été comme ça ? » je demande.

Elle me fixe. J'ai l'impression qu'elle prend une décision à l'intérieur de sa tête.

« Mon frère s'est suicidé. J'avais dix-huit ans à l'époque, lui, dix-sept. Nous aurions pu être jumeaux, nom de Dieu. »

Elle heurte une pierre avec sa truelle. Le son rend un écho aigrelet.

« Il n'est pas mort tout de suite. Il a tenu quelques jours à l'hôpital – dans le coma. Je cohabite avec sa mort. Elle est là. Toujours. »

Elle heurte à nouveau une pierre.

« Je ne sais pas pourquoi je te dis ça. Je n'en parle jamais. C'est Jill Meagher... son meurtre *bouge* les choses. Des choses qui, d'habitude, ne bougent pas. »

Elle poignarde encore quelques mottes de terre avec sa truelle. D'habitude, j'ai le sentiment qu'elle a une parenté jaïne avec les vers de terre ou les insectes, et veille à les épargner – mais pas aujourd'hui. Son esprit est préoccupé par le meurtre, comme si cela lui procurait une sorte de *soulagement*.

« À peu près au même moment, me dit-elle, il y a eu un autre crime commis à Brunswick. Un Indien a tué sa femme, puis a fichu le feu à leur maison et les a cramés tous les deux en une espèce de sati commun. »

Elle donne un autre coup de truelle rageur.

« Ce désastre, pourtant directement lié à la culture de mes parents, ne me touche pas autant que le meurtre de Jill Meagher, dont la mort occupe autant de place dans ma tête que dans ces foutus journaux. »

Elle plonge et enterre un autre bulbe dans le sol sans le recouvrir tendrement comme à l'accoutumée.

« Et ce n'est pas tout. Il y a à peine deux jours, un de mes anciens étudiants est mort d'un accident de moto au Viêtnam. Il travaillait gratis pour une soupe populaire le week-end, tout en étudiant à l'université. Sans compter Olga... elle était ma plus vieille amie... ça fait trop mal, bordel. »

Le vent lui souffle les cheveux dans la figure et elle les chasse d'un geste exaspéré.

« Mais même *elle* ne me hante pas de la même manière que Jill Meagher. Tout ce que je sais faire, c'est pleurer cette inconnue qui ne m'est *rien*. »

Elle se frotte le nez du talon de la main.

« Jill Meagher semble tenir un cierge dans tous mes placards sombres. »

Nous continuons à planter les bulbes pendant que sa colère, telles des racines, se propage aveuglément dans le sol qui nous entoure. Je ne dis rien. On ne peut s'approcher de ce genre de chagrin. Il est là, comme un orage, une tempête dont on est témoin jusqu'à ce que le calme revienne. Et pourtant, ma simple présence semble faire partie d'un processus que j'accompagne malgré moi. De temps en temps, Mitali me jette un regard, comme une bête sauvage surprise par la compagnie humaine, l'acceptant à moitié, la refusant de l'autre.

Bientôt, l'après-midi de travail est terminée. Kim nous dépose chez Mitali. Nous habitons, elle et moi, dans la même rue. Nous sommes debout dans le crépuscule inquiet, Mitali frissonne et m'invite pour une tasse de thé. Elle vit avec un homme et la fille adulte de celui-ci, qui est revenue habiter avec eux quelque temps.

Je reste sur la petite véranda. Trop fatiguée pour enlever mes bottes, je m'adosse aux lambris de la maison encore chauds. Je peux voir le jardin à travers un labyrinthe de feuillage. Les lambris sont d'un gris presque doré, je ne sais pas si c'est la trace du soleil couchant ou leur vraie couleur. Quelqu'un a dû les poncer paisiblement, sans compter le temps. Je presse mes doigts contre la douceur de leur grain et je laisse mes pensées errer dans les méandres du petit jardin.

Mitali revient avec deux tasses. Son mari, Ian, un grand dégingandé, apparaît. Il s'accroupit près de Mitali sans un mot. L'humour dans ses yeux nous accueille, fatigue et boue comprises. Il y a un territoire dans ce regard, comme s'il avait emmagasiné trop de paysages par des fenêtres de train. Soudain, tout est parfait – une perfection qui fait partie des feuilles et du ciel immense. Le moment dure quelques secondes à peine, le temps d'un soupir, d'un koan, d'un haïku.

Ian nous quitte et, au moment où s'épaissit le crépuscule, revient avec une assiette de fruits coupés. Ils échangent quelques commentaires sur sa fille. Mitali affirme :

« Elle va bientôt reprendre ses études. »

Ian hoche la tête.

« Et elle dort déjà mieux. »

Puis il se tourne vers moi :

« Ma fille, Billie, a eu une leucémie, mais elle est en train de se rétablir. »

Cette nouvelle ombre de mort est là, avec la nourriture que nous partageons. Ian pousse l'assiette de fruits vers nous. Il a de longs doigts qui semblent bouger plus lentement. Je devine que c'est lui qui a poncé les lambris à la main, dédaignant la ponceuse électrique.

Nous restons silencieux quelques instants. Les fruits sont incroyablement frais. C'est aussi délicieux que si ma fatigue elle-même les goûtait. Nos trois têtes sont appuyées contre les lambris. Je leur souris.

« Le crépuscule est mon heure préférée. »

Je n'ai pas fait de commentaire sur l'état de leur fille et belle-fille, mais je suis touchée qu'ils en aient parlé devant moi. Jill Meagher est morte, mais Billie va mieux, *c'est déjà ça*, je me dis, comme si j'avais vraiment rencontré ces deux jeunes femmes, comme si ces nouvelles avaient une directe incidence sur ma vie. Le calme de cette véranda m'a presque engloutie. J'ai la sensation obscure que nous sommes liés par une indicible parenté, que nous ne sommes pas assis là par hasard, que ces morts ont un lien avec nos vies. Inexorablement, une autre mort est évoquée. Mitali s'époussette les cuisses :

« C'est fini pour Olga. »

Je sens Ian se figer.

« Quand ? »

La tête de Mitali a un mouvement saccadé.

« Il y a un mois. »

L'atmosphère change comme si quelqu'un avait cinglé l'air avec un fouet. Ian repose lentement le quartier de melon qu'il a entre les doigts.

« Et tu ne m'as rien dit... pendant tout un mois ? »

Mitali fronce les sourcils et regarde ses genoux comme si ses mains étaient des objets étranges posés là.

« Non. »

Puis, relevant la tête, elle nous dévisage furieusement, à croire que ce mois s'était rebellé contre elle, que jour après jour, ça n'avait été qu'une lutte corps à corps.

« Elle était déjà morte, non ? Branchée à cette machine. »

Elle tousse. L'image de Mitali toussant du sang fuse dans mon esprit. Ian la dévisage. Son regard est si grave. Je me demande pour quelle raison ils en discutent en ma présence. Mitali aurait pu choisir un autre moment pour lui faire cette révélation. Soudain, je me demande si elle ne m'a pas fait venir *exprès* – afin de créer une distance, afin de s'en éloigner *elle-même* et se permettre de l'exprimer enfin.

« Mitali, alors, pendant tout ce temps où nous nous occupions de Billie... »

Ses mots restent en suspens. Elle se retourne vers son mari comme pour mordre.

« Merde, j'avais *besoin* d'être avec Billie. Billie, elle, est *vivante*. Je pouvais *faire* quelque chose. »

Tout à coup cela tombe sous le sens. Jill Meagher hante Mitali non parce qu'elle travaillait pour la radio ABC australienne, ni parce qu'elle était jeune, belle et irlandaise, mais parce que les larmes accumulées par Mitali pour son amie Olga se sont déversées sur la mort de cette étrangère. Ils font un effort pour parler d'autre chose – un film américain, une randonnée dans le bush –, et la nuit se prépare à tomber.

Quand je me lève pour partir, ils me raccompagnent jusqu'à la barrière du jardin. Je refuse leur proposition de me ramener chez moi. La lumière sépia de la soirée est déjà un souvenir en soi. Un chat gris se promène dans une rue transversale, longeant les voitures garées. Je le vois presque tous les soirs. Sa dignité confucéenne est imperméable à l'atmosphère trouble qui flotte dans le quartier. Je me tiens à une distance respectueuse sur l'autre trottoir, et je le regarde. Il m'observe avec une sorte de tendresse détachée. Les morts se retirent de mon esprit. J'ai faim.

Mes bottes toujours maculées de boue, je reviens du supermarché. Il y a dans l'air une odeur d'orage et de peau de bébé. La pluie, enveloppée de nuages, s'approche de nous sans tomber. Le trottoir se met à dégager des relents d'orchidées et de vieille cave à vins. Il est un peu plus de sept heures du soir. Bien que ce soit le printemps, on dirait l'hiver – ou plutôt un automne bougon.

Soudain, à quelques pas devant moi, je reconnais Sarah, la propriétaire du bar où j'ai rencontré Bernice. Il fait si sombre que nous pourrions facilement ne pas nous reconnaître. Un oiseau fait-il bruisser l'écorce déchiquetée d'un melaleuca ou est-ce un remous dans la nuit ? Nous tournons la tête au même instant. Le manteau de Sarah s'entrouvre et bat comme une aile pour révéler une robe noire au décolleté plongeant, et sa chair comme une lueur blanche. Sa main, qui tient son col autour de sa gorge, est celle, rude, d'un travailleur. L'étrange beauté de son rideau de cheveux noirs, les fentes vertes de ses yeux et ses épaules aux oscillations de panthère me rappellent *Les Hauts de Hurlevent*.

Je sais que sa famille est d'origine irlandaise, des deux côtés, mais quelque chose du bush s'est installé en elle. J'ai vu les grandes pièces qu'elle sculpte. La galerie entièrement blanche dans laquelle elles se tiennent déborde d'une énergie contenue. Elles sont là, aussi désarticulées que des grues, des échines épaisses adossées au néant, portant d'invisibles poids sur des épaules arrondies, presque douces, et une puissance fatiguée, dilapidée. Elles sont habitées par l'esprit de ce lieu qui appelle Sarah, tout comme il appelle le nom de chaque rue, le cri de chaque oiseau, à son identité secrète.

Elle me touche le bras quand je dis :

« Bonjour, Sarah. »

Elle ne se souvient pas de mon nom, tente de le deviner mais rate son coup, et finit sa phrase en une sorte de borborygme.

« Comment vas-tu ? » ajoutons-nous en un écho symétrique qui nous bloque mutuellement.

Elle se passe la main dans les cheveux. Je vois qu'elle est fatiguée. Puis, sans crier gare, elle me demande :

« Tu n'aurais pas envie d'aller dîner au pub ? Je sais que c'est un peu à la dernière minute... »

Je soulève mes sacs de supermarché remplis de provisions.

« Tu peux me donner un moment pour déposer tout ça ? »

Sarah hoche la tête. Nous décidons de nous retrouver un quart d'heure plus tard. Elle s'éloigne, et je remarque son pas — le pas d'une marcheuse du bush prête à tracer pendant des jours d'affilée, jusqu'à ce que son dos, détourné des lumières familières, devienne un minuscule point noir à l'horizon. Je rentre chez moi en me demandant pourquoi les choses inattendues me rassurent toujours.

Le pub est à un coin de rue, et je pénètre dans une cave de sons. Comment vais-je la trouver ? Cela semble impossible, autant prendre rendez-vous dans une gare bondée. Mais la voilà, assise près de la porte. Elle hoche la tête, et je me perche sur le tabouret à gauche du sien. Un homme debout à sa droite essaye d'éveiller son intérêt, elle lui adresse des sourires inattentifs de temps en temps. Un autre s'approche et se met à parler de Jill Meagher.

« Salopard. Il aurait dû être étranglé à la naissance. »

Les yeux verts de Sarah consultent les miens, comme si le fait de ramener les sacs de provisions chez moi n'avait pas interrompu notre conversation.

« Cette pauvre fille », souffle le nouveau venu avec les voyelles florissantes d'un notaire dickensien.

Il a un nez bulbeux d'alcoolique et semble ne tenir debout que par l'opération du Saint-Esprit. Dans son regard traînent des lambeaux d'intelligence. Après un instant de concentration pour rassembler ses facultés éparses, il demande :

« Vous pensez qu'on a tous le cœur brisé parce que Jill Meagher travaillait à la radio ABC et qu'elle était jolie ? »

Sarah le regarde franchement :

« Mmm, cette exhibition de deuil me dérange un peu — une sorte de "réflexe princesse Diana". Pourquoi le public a-t-il choisi de réagir avec autant d'émotion cette fois-ci ? Pourquoi la presse en fait-elle tout un plat ? Est-ce parce qu'elle était comme nous — mais mieux —, belle, branchée, faisant partie de l'intelligentsia... On pourrait être victimes d'un réflexe de classe, plutôt que d'exprimer une réaction viscérale ou affective comme cette marche spontanée sur Sydney Road en son honneur voudrait nous le laisser croire. »

Son commentaire me remet en mémoire l'autre crime dont Mitali m'a parlé – l'Indien qui a tué sa femme, puis a brûlé leur maison en un sati funèbre. Aucune marche en honneur de sa mémoire à elle. Avec un sourire si mûr qu'il n'a nul besoin de mots, Sarah penche son visage et son regard de mon côté. *Et toi, quelle est ta réaction ?* demandent-ils en silence.

Je ne trouve rien à répondre. Je comprends son argument, mais je ne vois pas Jill Meagher comme une sorte de bouc émissaire inversé. La seule question qui me vienne à l'esprit est : *Pourquoi est-elle morte plutôt que l'une d'entre nous, n'importe laquelle des femmes dans ce pub, avec de l'air dans les poumons et une coupe aux lèvres ?* Je pourrais avoir parlé à haute voix car l'homme me fixe, son esprit agile embusqué derrière l'alcool. Un ange passe entre nous comme si, grâce à la somme de nos pensées, nous venions d'apercevoir quelque chose d'invisible jusqu'alors, juste au-delà de notre perception, suspendu dans l'atmosphère – prêt à être saisi.

Puis il plisse ses paupières, attrape son verre et le soulève, telle une lampe-tempête, avant de battre en retraite. Mais ses pas ralentissent soudain et son corps tangue à nouveau vers nous. Je me retrouve nez à nez avec lui, à le dévisager malgré moi. Son chuchotement m'atteint à peine.

« J'étais dans le même pub le 21 septembre. J'ai vu Jill Meagher la dernière nuit de sa vie. »

Puis il s'éloigne définitivement. Sarah n'a pas entendu. Seule l'étrangère est avertie, celle avec l'accent, celle qui partira et portera son secret *au-delà des mers*, où il pourra être oublié. Je ne vais nulle part, je n'ai personne à qui le dire, mais il me semblerait sacrilège d'émettre un commentaire − tout comme il me semblerait sacrilège de faire part à Sarah du trouble de Mitali. Finalement, tout le monde à Brunswick paraît avoir un lien avec la mort de Jill Meagher, et exprimer son propre sentiment de deuil.

Légèrement courbée sur son assiette, Sarah se nourrit avec des gestes de pionnier. Dure et précise avec sa fourchette, elle coupe sa viande les sourcils froncés, mâche posément et parle vite entre deux bouchées.

«Je me sens incroyablement triste pour elle et sa famille. Ce ne sont pas de vaines paroles. J'ai une fille, j'ai une mère à Adélaïde. J'ai aussi dans mon entourage un notaire ivrogne, un peintre en bâtiment, un photographe, un universitaire, un entrepreneur et une stripteaseuse... Tous ces gens vous donnent le meilleur d'eux-mêmes en noyant leurs soucis au fond de leur verre.»

Les yeux de Sarah la trahissent. Ils ne peuvent cacher une souffrance familière, presque apprivoisée. Quand je croise ce regard, je sens que nous sommes toutes des Jill Meagher : n'importe laquelle des femmes dans cette pièce pourrait être étendue dans sa tombe de fortune, au bord d'une route, hâtivement recouverte d'un peu de terre, de feuillage et de ronces. Une racine commune de peur et de souffrance nous rend toutes semblables à elle. Le boulanger de Pagnol me revient en tête et je le cite à Sarah : « Cocu ? C'est un mot rigolo ! C'est un mot pour les riches. Moi, si ça m'arrivait, je serais pas cocu, je serais *malheureux*. » Jill Meagher n'est pas une Lady Diana transportée aux urgences par une armada de voitures de police.

C'est alors que nous voyons Bernice. Elle est debout sur une table au milieu de la pièce, saoule comme un Polonais. Sarah tire ses lèvres en arrière, la bouche fermée, elle se penche sur ses avant-bras. Je me retourne à nouveau. Bernice chante maintenant avec l'orchestre pendant qu'une tablée tente de l'empêcher de se casser la figure tout en sifflotant avec elle. Sans faire de réflexion ni intervenir, tout le pub garde un œil protecteur sur elle.

Sarah s'agrippe les mains et me sourit avec ironie :

« Je suis allée à un vernissage aujourd'hui. C'est pour ça que je suis habillée comme une femme. J'ai l'impression d'être une drag-queen », soupire-t-elle.

Peut-être qu'un physique détonnant est considéré comme un handicap par son propriétaire, le rendant douloureusement inconscient de ses charmes. Les regards des hommes font des entrelacs autour de Sarah, mais elle ne les remarque pas. Elle est a priori déçue par l'issue d'une éventuelle aventure. On ne peut, pourtant, l'imaginer attirée par les femmes. J'ai vu les fresques érotiques sur les murs des toilettes de son bar. Elles sont résolument hétérosexuelles. Cependant son mystère demeure cloîtré.

Je me demande si chaque personne de notre quartier de Brunswick a besoin d'un mystère pour survivre.

Brunswick, me dit-on, transporte ses mystères plus au nord, vers Coburg et Preston. Ceux qui peignent, qui écrivent ou qui chantent, ne trouvent plus de loyer à la mesure de leur bourse. Les yuppies envahissent le terrain avec leurs Bugaboo.

Je jette un coup d'œil sur Bernice. Quelqu'un la guide pour descendre de la table. Elle semble mûre pour être ramenée chez elle dans un landau Silver Cross, mais elle se commande un autre verre de vin.

Sarah habite notre faubourg de Melbourne depuis des années, mais elle a été élevée à Adélaïde où sa mère, âgée, habite encore. Sa fille, Mary, après avoir fait ses études à Melbourne, a décidé d'y revenir. Elle vit avec un musulman, n'a pas d'enfant – et porte la burqa.

« Pas facile, surtout dans un pays gouverné par une femme », commente Sarah, avant d'ajouter : « Ça peut être coton de faire les courses avec elle au supermarché. Et le pire... c'est qu'elle est belle, tu ne peux pas imaginer, on n'a pas idée d'être belle à ce point... Il y a quelque chose dans son visage qui provoque des encombrements, je t'assure. Il suffit de marcher dans la rue avec elle pour s'en convaincre. »

Je pense : *Pas étonnant avec la mère qu'elle a.*

Sarah fait une grimace.

« J'ai appris à ne pas interrompre son mec, quand je vais chez eux quelques jours. »

« Est-ce que tu lui as demandé pourquoi elle porte le voile ? »

Les yeux verts clignent un instant.

« Elle ne veut probablement pas faire de vagues avec lui. Elle a dû lui jurer quelque chose. Je ne sais pas. J'essaye d'oublier que je suis une féministe quand je suis là-bas. »

Ses lèvres s'étirent en une caricature de sourire.

« Je fais de mon mieux. »

« Et son mec, à quoi il ressemble ? »

Sarah pose son verre ; ses yeux semblent plus verts encore.

« Je n'ai aucune sympathie pour lui. Ce n'est pas à cause de sa religion. Il a des idées sur tout et des pensées sur rien, pour moi c'est un beauf. Il me ramène toujours à quelque chose que j'ai fait ou que je n'ai pas fait. »

Elle ne vide pas son sac. Les mots lui tombent nonchalamment des lèvres − des gants jetés en passant sur une console.

« J'étais la mère artiste : vivant en communauté, bohème, petits boulots. »

Je gigote sur ma chaise. Je me demande si sa mère et sa fille sont proches. Sarah répond à ma pensée.

« Ma mère a soixante-dix ans passés. Elle endure la vie plutôt qu'elle ne la vit. Ma fille Mary et elle se sont toujours entendues. Peut-être sont-elles deux fondamentalistes. »

Elle s'éclaircit la gorge et me sourit franchement.

« Les vies de femmes ont de ces relents... »

Je lui demande le nom de sa mère.

« Helen », dit-elle.

Cela semble définitif. Comme si elle faisait référence à la guerre de Troie.

« Elle a un cancer maintenant et refuse la chimio et la radiothérapie. Elle pense que son âge tiendra son cancer en respect. »

Nous échangeons un regard. À la façon dont Sarah présente la situation, cela ne ressemble pas à une maladie, mais plutôt à une réaction chimique entre leurs deux natures.

« Elle le traite à la dure avec un vieux farfelu de naturopathe qui exerce au coin de la rue, se croyant aussi stoïque avec sa maladie qu'elle a été face à sa vie. Elle lutte contre son cancer comme Jacob avec l'ange. »

Sarah a un gloussement sec.

« J'ai fait une sculpture de Jacob luttant avec cet homme, qui n'est pas un homme mais un *Doppelgänger*, une conscience devenue indépendante. Tout comme un cancer, en fait. »

Sa tête fléchit, mais elle continue de parler.

« Mon dernier soir à Adélaïde, je dînais avec ma mère, quand Mary est arrivée en coup de vent avec sa burqa. Helen la pionnière, Mary la musulmane et Sarah l'artiste féministe. Jung en aurait eu pour son argent : une bande d'archétypes en train de parler de rien. »

Son haussement d'épaules est la chose la plus triste de la soirée. Elle me fait penser au chat.

Quelqu'un ou quelque chose semble manquer à ce chat. Comme si son pas ne pouvait plus être le même, parce qu'il sait que ce qu'il aime ne va pas revenir. Cette certitude est un poison, flottant dans sa gorge et son foie, changeant la chimie de sa chair, le goût de sa nourriture, détruisant ses habitudes, le laissant dans un océan de minutes où chaque décision de sa journée le déroute. Il ne se sent pas solitaire, il fonctionne dans une sorte de douleur vivante. J'ai la sensation de bien connaître ce chat gris — intime étranger, étrange ami.

Je demande à Sarah s'il arrive à sa fille Mary de venir à Melbourne.

« Jamais. C'est moi qui vais la voir. Ce n'est pas un problème. »

Cela ne me semble pas vraiment le cas. Notre conversation a quelque chose d'entrouvert, comme si les mots n'étaient que des signes derrière lesquels se tenait le véritable enjeu.

« Tu pourrais l'inviter pour quelques jours chez toi. »

Un éclair passe dans les yeux de Sarah, d'espoir ou de colère, je ne suis pas tout à fait sûre. Avant qu'elle puisse me répondre, un cri retentit. Bernice vient de nous voir. Elle pagaye dans le pub pour arriver jusqu'à nous.

« Je devrais rentrer à la maison », annonce-t-elle dans un chuchotement audible à plusieurs tables de là.

Sarah et moi échangeons un regard. Nous avons fini notre dîner, alors nous réglons la note et partons avec elle. Dehors il fait bien plus froid qu'à notre arrivée. L'air nocturne transperce nos manteaux de baisers glacés. Nous marchons avec elle en la tenant à bras-le-corps, Sarah d'un côté et moi de l'autre. Bernice titube, trébuche et s'épanche. Nous savons qu'elle ne se souviendra de rien demain matin. Elle réendossera ses vêtements, balancera à nouveau son minuscule sac derrière son épaule et se remettra en selle pour retourner à Triple R, la radio indépendante de Melbourne.

Bernice tourne son visage inondé de larmes vers chacune de nous. Son corps entier se débat en nous expliquant que son ex-mari l'a laissée tomber du jour au lendemain. Bernice rêvait d'un mariage en robe blanche et l'a eu. Elle lui a fait sa demande en mariage le jour où le parti travailliste est arrivé au pouvoir. Il a bien accepté, mais cela ne l'a pas empêché de la quitter. Elle gémit :

« Pourquoi est-ce que cela m'arrive toujours ? Avec chaque homme ? »

Sa tête se tourne dans toutes les directions, comme si des hommes étaient tapis dans les buissons. Le silence amical de Sarah, mon bras soutenant le sien, ne lui sont d'aucune aide. Nos pas résonnent dans la rue vide. Sarah demande depuis combien de temps son mari est parti.

« Quatre mois », dit Bernice, et elle se tait soudain.

La surprise fige la panique sur son visage de bébé – comme un arrêt sur image. Le temps écoulé la heurte de plein fouet comme si elle réalisait pour la première fois. Sarah me lance un regard qui dit : *Les vies de femmes ont de ces relents...*

Nous la ramenons à bon port. Avec une dignité drolatique, Bernice refuse notre offre de l'aider à rejoindre sa chambre au premier. Elle nous adresse des signes d'adieu – une femme de soldat sur un quai agitant la main aveuglément à des rangées d'épaules en uniforme, des rangées de sourires tendus, de coudes appuyés au bastingage du navire de guerre qui les emmène se battre. Mais elle ne peut reconnaître *son* soldat. Il est encore *là*, si près pourtant... *Il y a quatre mois*, disent ses yeux, *j'étais une épouse.*

Je lui fais signe jusqu'à ce que la rue nous avale. Puis Sarah et moi nous engouffrons dans un immeuble en train de se hisser au-dessus de Lygon Street. Ils construisent tout autour de Brunswick. Ce chantier-ci est fantomatique, hérissé d'échafaudages, de chaînes et de panneaux de sécurité aux lettres rouges. Nous pourrions aussi bien pénétrer dans une zone de combat. Bientôt les gens gareront leurs voitures dans le parking souterrain et seront aéroportés par des ascenseurs jusqu'à leurs appartements. Ils tourneront leurs nouvelles clefs dans leurs serrures étincelantes et poseront le pied sur leurs moquettes de luxe. Mais, pour l'instant, c'est Beyrouth. Nous nous éloignons de cette ombre envahissante et arrivons dans le territoire du chat. Je parle de lui à Sarah – mais *lui* n'est pas là.

Une femme apparaît au coin de la rue, avec deux poids jaunes dans les mains et un visage presque sidéré de tristesse. Peut-être que ces poids ne sont pas du tout pour l'exercice, mais plutôt pour tenir ses pensées à distance, sentir et *se souvenir* de chaque pas, ou simplement donner à sa promenade plus de gravité. Sarah fait un geste, comme si elle était sur le point de lui parler, mais elle se reprend. Nous regardons la femme passer devant nous sans nous voir, labourant son chemin tel un sillon. Bien que le vent virevolte dans tous les sens, les melaleucas aux troncs déchiquetés et à la coiffure de brocoli sont aussi figés et attentifs que nous. Sarah enveloppe son corps de ses bras, comme pour se prémunir du froid.

« La fille de cette femme s'est suicidée. Depuis trois ans, elle tente d'éliminer son désespoir en marchant. Peut-être que c'est la meilleure chose à faire − marcher − quand on n'a plus de destination. »

Sarah regarde les invisibles traces de pas laissées par cette femme. Son visage a perdu toute son autorité naturelle. Elle s'appuie contre le muret clôturant le jardin d'une maison edouardienne ; et j'ai la sensation étrange que les briques vont s'éparpiller dans l'herbe... juste comme ça.

« J'étais une mère de merde », murmure-t-elle.

Je voudrais tant dire quelque chose. Mais je me sens aussi utile qu'un melaleuca. Soudain Sarah se redresse :

« Mais ma fille, elle, est en vie, non ? »

Je hoche la tête vigoureusement.

« Oui, Sarah, elle est bien vivante. »

La nuit s'est installée autour de nous. Sarah finit par se détacher du muret et me fait un signe de la main. Je la regarde partir.

Sur le chemin du retour, je rencontre le chat gris. Il s'arrête et se frotte contre mes jambes. Il me laisse même le caresser.

3

BURQA

J'ENFONCE MA BÊCHE dans la terre et je la sens s'ouvrir facilement, comme si j'avais trouvé le lieu exact où une bêche peut se frayer un chemin profond dans le sol. Le visage de Kim se tourne au ralenti pour me lancer un regard. J'ai remarqué que, depuis que je n'essaye plus d'obtenir son approbation, je fais moins d'erreurs. Cette après-midi, les nuages sont imbibés d'eau mais refusent de lâcher une goutte de pluie. Kim se hâte avant le déferlement. Je suis seule avec elle. Son balai est un métronome. Quand nous avons dégagé toutes les feuilles et déblayé les allées – toujours notre dernière tâche –, elle me reconduit chez moi dans sa camionnette.

Un coup de tonnerre me devance. Je cours vers ma porte au moment où les premiers éclairs déchirent la rue. Mon seuil est brusquement éclairé et Sarah apparaît, debout sur mon paillasson, comme un soldat démobilisé.

« Sarah ! »

Son visage est blanc et ses yeux verts regardent dans le vide. Elle semble dans un état de calme panique.

« Est-ce que je peux entrer ? » me demande-t-elle, toute intonation purgée de sa voix.

Je plonge la clef dans la serrure.

« Bien sûr. »

J'aimerais pouvoir aider cette femme qui n'a visiblement pas l'habitude de demander de l'aide. Je rentre dans la cuisine, branche la bouilloire et sors du frigo tout ce qui se présente. Elle est assise, les mains jointes entre ses cuisses en un geste de prière inversé. Ses cheveux sont encore soyeux, mais sa peau a changé – imbibée de larmes non versées, un peu comme le ciel.

Je m'affaire dans la cuisine, essayant de ne pas interrompre sa tristesse, la laissant se fondre dans l'air de la pièce sans l'assiéger de questions. Elle me lance un regard reconnaissant, comme si mon silence était un cadeau. Je trouve du fromage et des olives, que je mets sur la table. Puis je tire une chaise et m'assois en diagonale, sans lui faire face. Elle prend une grande inspiration.

« C'est Mary, elle vient à Melbourne. Je devrais être ravie, mais je suis terrifiée. » Elle attend un peu. « Nous n'avons aucun langage commun, tu vois. »

Un nouveau coup de tonnerre se fait entendre. Elle sourit et ajoute :

« On dirait un esprit frappeur. »

Son sourire et sa remarque ressemblent davantage à une tentative de détendre l'atmosphère ou, même, de se reprendre en main. Une fille qui est une étrangère pour sa mère, c'est d'une banalité shakespearienne. Elle n'a rien d'autre à ajouter, tout est dit. Peu de gens ont le courage de déballer leur tragédie aussi simplement, sans un voile séducteur de mystère.

« Pourquoi vient-elle te voir ? »

Sarah me fixe presque sans me voir.

« Pour des vacances... ou alors... elle est en pleine rupture et elle veut loger chez moi pour chercher un travail – avec sa burqa. » Avec un sourire caustique, elle ajoute : « Enfin, même si notre Premier ministre les trouve perturbantes, elle ne les interdit pas. Au moins Mary ne sera pas envoyée dans un centre de détention. »

« Ah. »

J'attends, je rajoute du fromage, des biscuits de riz sur la table, je verse du vin, de l'eau et du jus de fruit. Les verres s'alignent devant Sarah. Elle rit presque.

« Ça commence à ressembler à mon bar, ici. »

Je hausse les épaules.

« Il y a pas mal de femmes qui portent une burqa. »

« Je sais, mais généralement c'est parce qu'elles sont musulmanes. »

« Et elle n'est pas... »

« Pas plus que toi. »

« Une affirmation culturelle ou politique, peut-être ? »

« Ce n'est pas son genre. Ce serait plutôt le mien. »

Mieux qu'une expression d'angoisse, son sourire doux-amer manifeste l'étendue de son désarroi. Elle soupire avant d'ajouter :

« Cela pourrait être quelque chose de plus profond. »

Je cesse de promener mon index sur les nœuds du bois de la table.

« Quelque chose qui n'aurait rien à voir avec l'islam ? »

Sa tête se redresse. Son « oui » sonne creux et triste. Bizarrement, cela me rappelle la tristesse d'une plage près de Frankston, le long de broussailles sèches, où les arbres squelettiques du littoral frottaient leurs membres dans le vent, pendant que la mer s'agitait et se tracassait avec des bruissements anxieux sur le sable gris – une plage triste, si triste.

« As-tu essayé de demander à ta mère de quoi il s'agissait ? Tu as dit qu'elles s'entendaient. »

Elle avale une gorgée de vin avant de répondre :

« À part du temps qu'il fait, ma mère et moi nous parlons à peine. Elle ne veut même pas me parler de son cancer. »

« Quand Mary doit-elle venir ? »

Je lui tends un biscuit avec du fromage, mais elle a les yeux fixés sur ses genoux.

« Demain. »

« Mais pourquoi est-ce si soudain ? Pourquoi ne t'a-t-elle pas prévenue plus tôt ? »

« Elle devait avoir un autre plan qui est tombé à l'eau. Je suis la dernière personne chez qui Mary choisirait de venir. Mais, si elle veut trouver du travail à Melbourne, ce que je soupçonne, alors elle s'est séparée de son mec. Pourquoi viendrait-elle chez moi sinon, alors que je rentre juste d'un séjour à Adélaïde ? Elle logerait chez des amis, si c'était pour des vacances. »

Après ça, Sarah vide son verre de vin comme un médecin en tournée. Et moi, je ne pense qu'à une chose –

cette plage près de Frankston. Je demande ce que fait Mary dans la vie.

« Elle est conceptrice graphique pour l'édition. Elle a étudié la typographie et a aussi illustré des livres pour enfants. Même gamine, elle était toujours à jouer avec des polices de caractères. Je l'appelais Gutenberg. À un moment, je pensais qu'elle ferait de la gravure. »

Je les imagine toutes les deux, sur la pointe des pieds, s'évitant ou explosant dans des discussions survoltées sur le muesli du matin ou « à qui le tour » dans la salle de bains. Je les imagine marcher le long de couloirs rigides et franchir le seuil de cuisines silencieuses − prisonnières de malentendus paroxystiques où les meubles grognent et les plafonds pèsent si lourds que l'on se sent écrasé.

« As-tu la moindre idée de ce qui se passe avec son mari ? »

Elle plonge son regard dans son verre.

« À peu près autant que toi. »

Je lui demande comment vient Mary, en avion ou en train.

« En avion. »

Maintenant la pluie semble projeter du gravier plutôt que des gouttes contre la vitre.

« Est-ce que tu peux venir la chercher à l'aéroport avec moi ? »

Je repose le gâteau de riz que j'allais mettre dans ma bouche pour la dévisager. Puis, je regarde par la fenêtre.

La tempête s'en va aussi subitement qu'elle était venue, laissant derrière elle une obscurité scintillante − la pluie en moins. Cela fait longtemps que l'on ne m'a pas demandé quelque chose, que l'on ne m'a pas *incluse*. Je pense au mot de Bernice : « se commettre ». Pourquoi percevons-nous davantage notre humanité quand une aide nous est demandée, quand nous nous sentons utiles ? Ne devrait-on pas se sentir humains tout le temps ? Pourquoi creuser la terre ne suffit-il pas ? Je croyais avoir retenu la leçon. Je m'apprête à laisser tomber. On peut avoir de la sympathie pour les gens, manger du fromage et des biscuits de riz avec eux, sans sauter à bord pour autant. Je prends deux ou trois respirations ; je laisse la pièce se calmer autour de moi ; je lâche cette femme et son histoire. Puis je dis : « Okay. » Ça aussi, c'est okay.

Son soulagement est évident. Comme l'ivrogne du bar, elle s'est adressée à la bonne personne. Ils reconnaissent une étrangère quand ils en voient une. Même si je ne projette pas de quitter le pays, son secret est à l'abri avec moi, comme si je l'emportais *au-delà des mers*, loin de Melbourne, loin de Brunswick.

« L'avion est à onze heures trente demain matin. Je peux passer te prendre à onze heures. Ça te va ? »

Je hoche la tête.

« Oui, ça me va. »

Nos yeux tombent sur le journal *The Age*, posé sur la table. Le visage de Jill Meagher navigue sur une mer de caractères. Nous le regardons comme si sa mort était reliée à toutes les souffrances attenantes, aussi petites soient-elles en comparaison. Je tapote le journal.

« J'ai cherché partout sur Internet, et j'ai finalement trouvé que son tueur avait été brutalisé par son père pendant son enfance. Ce n'est pas une excuse, mais c'est une explication, tu ne trouves pas ? En revanche, l'oncle de Jill Meagher a dit à la presse que sa bonté et son optimisme étaient presque un cliché du bonheur. »

Sarah hoche la tête.

« Une effrayante asymétrie. »

Sur la table traîne aussi un livre de Coetzee, *Michael K, sa vie, son temps*, que m'a prêté un ami. En pensant à l'assassin de Jill Meagher en prison, je l'attrape et je montre un passage : *Il pensa à la baraque étouffante et chaude, aux inconnus entassés autour de lui sur leurs couchettes, à l'air même qu'il respirait, un air pétri de dérision. C'est comme un retour à l'enfance, pensa-t-il : c'est comme un cauchemar.*

« Qu'est-ce que tu écris ? » me demande-t-elle.

Elle se doute probablement que je fabrique quelque chose de ce genre en voyant tous les livres, et les notes éparpillées partout. C'est vrai que je m'assois devant mon ordinateur portable pour écrire sur cette présence qui hante la périphérie de mon esprit depuis tant d'années maintenant, c'en est presque une blague. J'essaye d'apprivoiser un fantôme, qui flotte à travers les pages sans jamais montrer son vrai visage ou sa véritable histoire. Et pourtant, je m'y accroche, sautant sur le moindre indice. Je ne sais pas pourquoi je fais ça. C'est devenu une sorte de réflexe, d'habitude matinale dont je ne peux me détacher, hantée par une conscience plus ancienne que la mienne. La mémoire semble être le problème de ma vie.

« C'est une thèse ? »

Je tente de lui expliquer :

« Ma grand-mère est morte treize ans avant ma nais-sance, je ne l'ai jamais connue. Je ne comprends pas pourquoi elle me colle à la peau. Je n'ai que les circons-tances de sa vie. Ce que je veux savoir, c'est qui elle était vraiment. Alors j'essaye d'écrire ce qu'elle ressent – ressentait, je veux dire. »

Son sourire ironique refait surface :

« On est dans les femmes jusqu'au cou, pas vrai ? » Elle regarde son biscuit de riz qu'elle a à moitié grignoté avant d'ajouter : « Moi aussi, j'essayerais bien de découvrir qui est ma fille. »

Je me demande si elle y arrivera jamais. Peut-être qu'à cet instant quelqu'un est aussi en train d'essayer de découvrir qui était Jill Meagher – le mystère derrière sa personnalité ensoleillée. J'ai remarqué, sur une ou deux de ses photos, une tristesse passagère autour de ses yeux, démentant son sourire. Ces fragments, ces vestiges ont quelque chose à nous dire.

Sarah se lève. *Merci*, dit sa main sur mon épaule. Elle n'est pas portée sur les démonstrations d'affection. On la sent incapable de tirer parti d'un moment d'émotion. Je me lève et la suis jusqu'à la porte. Sur le seuil, elle se retourne vers moi. Elle sourit sans bouger ses lèvres – un sourire fantôme.

« À demain, alors. »

Je ne sais pas quoi répondre. Je n'ai aucune idée de ce que ma présence pourra lui apporter demain, probablement rien. Mais je comprends qu'elle est prête à tenter n'importe quoi. Je lui demande soudain :

« Et son père ? Tu en as discuté avec lui ? »

Son visage se ferme brusquement.

« Non, dit-elle. Je ne peux pas faire ça. »

Elle agite la main et se glisse dans sa voiture. En une seconde, elle est partie. Je reste sur le seuil à regarder la rue. Les arbres sont silencieux – il n'y a pas un bruissement. Le printemps est anormalement calme. Et il fait encore froid.

4

Lettre

LE LENDEMAIN À ONZE HEURES, Sarah est à ma porte. J'ai la sensation de m'être kidnappée moi-même en acceptant son offre. Il tombe une pluie fine et l'air est frais. Je déblaye les pensées de ma tête et me contente de regarder les arbres par la vitre. Sarah conduit avec précision et panache. Elle suit le code de la route, mais sa conduite dégage un parfum de danger. Nous épousons les virages et enfilons les kilomètres.

« As-tu pris ton petit déjeuner ? » me demande-t-elle, et elle me tend un décaféiné dans une tasse jetable, avant de balayer mes remerciements d'un geste.

Ses yeux sont fermement fixés sur la route, et le silence remplit la voiture pendant que mes mains se réchauffent autour du café. Les quartiers de Melbourne se reconstituent sur la ligne d'horizon derrière nous. Le ciel, large et vide, semble basculer pour laisser de la place aux avions. Je m'accroche à ma tasse en carton et essaye de ne pas me demander ce que je fous dans cette voiture. Un petit rire s'échappe de Sarah.

« Comment pourrait-on t'appeler ? Un tampon, un chaperon, un appât peut-être ? »

Je ne vais pas jusqu'à croire qu'elle peut lire dans mes pensées ; elle a simplement cette étrange qualité : le bon sens. Pourquoi est-ce que je me retrouve dans cette situation ? À cause de l'orage ? C'est comme si quelque chose glissait et que je glissais avec.

Sarah ralentit et s'arrête près du terminal de Melbourne, Tullamarine. Un employé de l'aéroport est sur le point de nous faire circuler, mais Mary est déjà là. C'est facile de la reconnaître. Elle est une torche bleue au milieu de tous les voyageurs décontractés. Sarah donne un coup de klaxon. En sautant de la voiture pour aider Mary avec sa valise, j'entrevois une présence derrière le treillis bleu et je lui souris.

« Bonjour, Mary. »

Elle m'adresse un signe de tête et grimpe sur son siège. Sarah lui attrape le bras, tout son être se penche vers sa fille. Il y a quelque chose de désespéré dans cette intensité soudaine. Son expression tendue qui ne peut rien atteindre reste comme suspendue. La burqa m'évoque Barbe Bleue et sa chambre interdite ; seulement, pour Sarah, c'est de sa fille qu'il s'agit, sa fille incarcérée dans cette chambre bleue à laquelle elle n'a plus accès.

Sa voix, habituellement assez grave, se casse et prend presque un ton de fausset.

« Comment était le voyage ? »

« Sans problème. »

La voix de Mary est jeune, australienne, sûre d'elle. Son ton est sans manières. En l'aidant avec sa valise, j'ai vu sa main humide de transpiration glisser sur la poignée. Je ne sais pas si c'est dû à la nervosité ou à la burqa. Bientôt un silence humide se répand aussi à l'intérieur la voiture. Je suis une mouette, me jetant contre des falaises taciturnes, battant des ailes pour trouver quelque chose à dire. Je tousse et fais un commentaire sur la pluie. Elles ne répondent pas. Sarah se concentre sur sa conduite, comme si elle serrait un virage en épingle à cheveux au lieu de rouler sur l'autoroute. M'aventurant toujours plus profond dans la banalité, je demande à Mary si elle préfère Melbourne ou Adélaïde.

« Je ne sais pas encore. Je suis de retour à Adélaïde depuis maintenant sept ans. Mais j'ai de bons souvenirs de Melbourne. »

Les mains de Sarah agrippent le volant avec enthousiasme.

« Ça, c'est une bonne nouvelle. »

Mary tourne sa tête bleue vers sa mère.

« Tout n'était pas négatif. »

Je ne peux définir s'il s'agit d'une blague ou d'une brutale réalité. Je décide de me détendre et de penser à ma grand-mère. Je la laisse s'asseoir à côté de moi dans la voiture, je sens son corps mince réagir aux soubresauts de la route, ses mains tranquillement croisées sur ses genoux. La mort lui a apporté la sagesse, la paix et l'humour. Je laisse ma mouette s'envoler vers la mer. Un vieux monsieur m'a chuchoté, dans le bar de Sarah, que l'on ignore où dorment les mouettes. C'est un mystère. Même les scientifiques n'en savent rien, m'a-t-il assuré. J'aime tellement cette information que je me garde bien de la vérifier. Je me demande si l'on va me reconduire chez moi ou si Sarah va me garder en otage pour un déjeuner silencieux.

Me donnant presque la réplique, la voix de Sarah résonne étrangement :

« Tu dois sûrement avoir faim. »

La main nue de Mary émerge du tissu bleu.

« Ça va pour moi. »

Sarah s'éclaircit la gorge.

« Ils t'ont donné quelque chose à manger dans l'avion ? »

Contre toute logique, sa fille se tourne vers moi :

« Ils vous nourrissent toujours dans l'avion. »

Le moteur vrombit dans un rugissement guerrier. Enfin, nous approchons de Melville Road – destination Brunswick. Sarah expire un souffle saccadé.

« Et si on prenait un morceau dans le café au coin de cette rue ? »

Je me retrouve à émettre un vague murmure d'assentiment. Mary ne dit rien. Maintenant nous sommes garées. La voiture frissonne avant de se taire tout à fait, puis nous crache sur le trottoir.

Nous sommes bientôt assises dans un bistrot sur Barkly Street. Nous choisissons des sandwiches et des cafés. Les collines des énormes seins et fesses de la serveuse se meuvent avec douceur entre les tables. Elle lance un regard et une blague par-dessus son épaule. Elle me rappelle quelqu'un de mon enfance ou le personnage d'un film, un souvenir agréable au bord de l'oubli surgissant soudain dans la réalité de la chair. Il y a une bicyclette suspendue au mur et, ici et là, des terrariums. Ces grands pots en verre contenant des plantes me font penser à des villes saugrenues, autosuffisantes, sous des dômes de verre − déjà dessinées, décidées et germées avant qu'un être humain puisse venir y habiter. Je scrute les plantes − peut-être que des gens minuscules sont cachés sous leurs feuilles. La musique est à fond, Dieu merci.

Nous tournons nos cuillères en un mouvement synchrone dans nos tasses de café, bien qu'aucune d'entre nous ne prenne de sucre. Sarah redresse brusquement la nuque.

« Alors, c'est fini. C'est ça ? »

Mary ne bronche pas, mais sa cuillère s'arrête. Soudain, j'aimerais bien me trouver sous une burqa moi aussi. Ça doit être confortable là-dessous. Être entendue sans être vue, une revanche sur le « vue, mais pas entendue » de l'enfance. J'attends sa réponse comme une idiote. En quoi cela me concerne-t-il ? Mais je ne peux pas m'empêcher de ressentir l'angoisse de Sarah tordre mes propres tripes. Mary pose la pointe de ses dix doigts au bord de la table :

« Oui. »

Le mot est suspendu, là, entre nous.

Sarah ne mérite pas vraiment ça ; elle n'utilise aucun des pièges faciles des mères. Les dix doigts disparaissent à nouveau. Mary soupire.

« Il ne me battait pas, rien de ce genre. C'était simplement fini. Cela a duré sept ans, un bon record après tout. En fait, nous étions en train de penser à avoir un enfant, et puis... »

Nous étudions les plis bleus de son voile quand la serveuse revient avec nos sandwiches, faisant à nouveau serpenter ses vallées et ses collines autour de nous. Nous baissons nos têtes comme si nous avions reçu l'hostie consacrée. Cette grand-mère que j'ai dans le crâne était catholique, pieuse, et d'une vertu presque rigide, cependant ce n'est pas la voix que j'entends. J'entends un cœur fort et chaud et une vision lucide se dispensant de l'ivraie des faux-semblants. Si seulement je pouvais en user à cette minute même. Sarah joue avec sa cuillère, avant de prendre une gorgée de café presque nonchalamment.

« Qu'est-ce que tu disais, Mary ? »

La tête bleue se tourne enfin vers elle.

« Pas de gosse. Je ne peux pas avoir d'enfant, *Mum*. »

Soudain sa voix est encombrée de larmes. Pourquoi les femmes désirent-elles des enfants à ce point ? Sarah et moi, nous nous dévisageons, car il n'y a pas d'autres yeux où plonger son regard. Nous pourrions être sur un ring, trois boxeurs sans poings. Les yeux de la mère sont devenus deux fentes noires. La fille tousse et, tout à coup, elle remplit le vide de mots.

« Merci de me prendre au dernier moment. Billie ne peut pas parce qu'elle loge chez ses parents en ce moment. Je pensais qu'elle était dans son appartement. Elle vient d'avoir une leucémie... Mais elle s'en est sortie.

Ils l'ont prise à temps. Tu te souviens de sa belle-mère Mitali ? »

Je sursaute.

« Mitali ? Elle est indienne ? Elle travaille pour une paysagiste ? Est-ce qu'elle vit avec un homme qui s'appelle Ian ? »

Mary enraye mon feu croisé de questions.

« Ouais, c'est ça. Melbourne est un vrai village. »

J'explique que je travaille avec Mitali. Soudain la tête bleue est à nouveau tournée vers moi.

« Billie dit qu'elle a été une meilleure mère pour elle que sa propre mère. »

À la façon dont elle se reprend instantanément, on voit que Mary aimerait mieux ne pas avoir dit cela. Mais il est trop tard maintenant. Sarah avale une gorgée en silence. Je voudrais bien ajouter du sucre à leurs deux tasses.

Un silence s'infiltre à nouveau entre nous. Je remarque que Sarah étend la main en un geste futile, inefficace, comme si elle tentait d'éteindre un feu de forêt ou de retenir quelqu'un de déjà loin – puis sa main retombe.

« Mary, je suis désolée. »

Cela me rappelle la façon dont elle a exprimé son chagrin pour la famille de Jill Meagher. *Embarrassée* par la douleur, elle a du mal à supporter l'étendue de sa compassion. Elle se force à rester laconique. Je perçois quelque chose sous le tissu bleu – la fille pourrait être en train de sourire à sa mère, qui sait ?

« Ce n'est pas de ta faute. C'est une réalité. J'ai fait tous les tests. On aurait pu adopter, mais, pour lui, ce n'était pas dans les cartes. Il voulait un... » Sarah lui souffle le dernier mot :

« ... un fils ? »

Qu'est-ce que cela veut dire ? Aucun leitmotiv islamique ne flotte dans la conversation de Mary. Si ce n'est pas pour son homme, il est légitime de se demander pourquoi elle se promène encore en burqa. Les catholiques, les scouts, les hommes d'affaires, les stars de rock, les politiciens, les femmes de docteurs – chacun a un credo qui se glisse dans son propos. Mais la franche voix australienne de Mary repose uniquement sur elle-même, sans se référer à aucune idéologie. Son costume bleu est-il une sorte de déguisement ?

Et soudain, c'est fini. Nous avons mangé nos sandwiches et bu nos cafés. La serveuse s'approche avec l'addition. Sarah paye, refusant toute contribution. Il me semble que nous sommes restées des heures. Ce n'est pas du vrai temps que nous avons passé là. Cela me rappelle le temps des contes de fées. On descend un escalier, il mène sous une forêt où l'on vit pendant cent et quelques années. Le jour où l'on décide de remonter à la surface, les horloges indiquent que l'on ne s'est absenté que quelques minutes.

Nous nous levons si maladroitement que les pieds de nos chaises font un bruit terrible sur le sol en ciment. Nous pourrions être des gangsters bondissant les mains sur nos colts – mais nous marchons seulement vers la sortie.

Quand Sarah se gare devant ma porte, Mary s'extrait elle aussi de la voiture.

« Hey, c'était bien de te rencontrer », dit-elle en levant la main.

Je tends la mienne vers sa manche bleue, comme une catholique espérant toucher la robe papale pour récolter une bénédiction supplémentaire. Je les regarde s'éloigner avec un vague sentiment de déconvenue. Peut-être qu'en moi une rudimentaire réaction pavlovienne s'attendait à des bombes, des terroristes ou des prises d'otages, au lieu de simplement du désespoir.

Puis, me rendant soudain compte de l'heure, je cherche ma clef et me précipite chez moi pour revêtir ma tenue de jardinage. Quand je franchis à nouveau le seuil, je me sens étrangement mal à l'aise dans mon gros pull, mes jeans et mes bottes en caoutchouc. Peut-être qu'eux aussi sont des déguisements. Les choses ont pris l'habitude de devenir étranges – pas seulement les vêtements, mais aussi la maison, la rue –, à part le chat.

En passant devant ma boîte aux lettres, je décide de m'abstenir de vérifier son contenu. L'art d'éviter d'être déçue peut atteindre chez moi des sommets. C'est à ce moment-là que je vois la lettre dépasser, dans son enveloppe blanche. Je n'en ai pas reçu depuis presque deux semaines. Je la saisis et l'enfonce dans la poche de mon jeans. Le vent s'est levé et le ciel n'annonce aucun présage de pluie. Kim m'attend dans le premier jardin où nous allons travailler, tout près de chez moi. Je suis consciente de la présence de la lettre tout le long du chemin. Je ne peux pas la lire en courant sur le trottoir. J'aurais dû la laisser dans la boîte, mais j'ai trop peur – un vent néfaste pourrait l'emporter ou la pluie, si le temps virevolte, pourrait effacer son encre.

Chaque fois qu'une de ses lettres arrive, je la garde avec moi. Je la *porte*. Pendant une heure ou deux, j'hésite à en déchirer l'enveloppe. L'idée qu'elle ne soit plus *neuve*, *inconnue*, la plonge immédiatement dans le passé, qui dévore tout. Le fait que la lettre soit intacte dans ma poche préserve son statut – la garde *libre*, remplie de promesses et d'avenir. Je cours dans la rue et je perçois le mince bruissement du papier contre ma hanche. J'ai la sensation qu'une saison complète, indépendante de celle qui m'entoure, s'est intercalée dans ma journée : *sa* saison. Le froid n'est plus si froid, les arbres sont plus proches, le trottoir est moins dur, la pluie récente sent bon. Tout est plus étrange, plus aigu, même l'air a un goût différent. Peut-être que les alpinistes, en atteignant une certaine altitude, se sentent ainsi. Ils peuvent trébucher, tomber, se tromper, mais lorsqu'ils aperçoivent le sommet, ils se sentent chez eux – comme moi avec ma lettre.

Quand j'arrive, Kim n'est pas disposée à perdre une minute.

« Creuse un trou dans ce parterre », dit-elle.

J'enfonce ma bêche dans la boue. La terre australienne m'accueille. Je pourrais mourir ici, je le sais, et ne jamais craindre de devenir un esprit errant, un *dibbouk*, un djinn, en quête d'appartenance. Ma demeure, c'est ce bruissement de papier contre moi, celui de mots australiens écrits par une main australienne.

5

Jill Meagher

Les jours où Kim s'absente, Mitali et moi travaillons comme des derviches. Cela devient une sorte de blague : dépasser les attentes de Kim pour lui arracher une insaisissable approbation. Mais, bientôt, notre rythme se transforme et trouve son propre cours, parce que ce sont les jardins qui commandent, pas les jardiniers. Sa bêche dans les bras, Mitali se jette soudain sur une platebande.

« Quelle connerie, ces parterres, quel grotesque ! Regarde cette rangée de camélias roses. De quoi vous faire dégobiller. »

Et elle lorgne le ciel pluvieux en bruitant la bande-son. On dirait un maigre gamin de dix-sept ans, allongé là − les jeans noirs, la vieille veste en cuir, le nuage de cheveux invisible contre la terre sombre. Je pourrais facilement aller relire la lettre de Jack dans la remise à outils, mais je continue de creuser, en jetant quelques mottes vers elle. La pluie a cessé, le ciel est maintenant uniformément blanc. Mitali finit par retourner à sa bêche pour se réchauffer.

On a conseillé à Jack de m'écrire. Un jour, cet échange déclenchera quelque chose, disent-ils. Il téléphone à sa mère, à son père, à ses amis, mais il m'écrit. C'est probablement plus facile pour lui comme ça. Pour l'instant, il travaille au zoo de Werribee. Dans sa dernière lettre, il explique combien les animaux lui redonnent le sentiment de sa propre présence. Ils le regardent comme s'il était vraiment là, plutôt que de lui renvoyer seulement l'écho de ce qu'il était auparavant. Il ne veut pas me voir pour le moment. L'amour dans mon visage doit avoir sur lui le même effet que les camélias roses sur Mitali. L'autre jour, une girafe a poussé son museau contre ses joues avant de plonger son regard dans le sien. Ainsi, il parle de sentiments, de sensations, d'odeurs, de touchers – tel le puzzle d'un miroir, mais dont les morceaux brisés ne vont plus ensemble. Les rassembler pour leur rendre forme lui donne le mal de mer. Et, pourtant, c'est ce que lui conseillent les médecins.

Je n'étais pas là quand il a eu son accident, mais je le revois en boucle dans mes cauchemars. Il descendait du tram. Comme si quelqu'un avait crié son nom, sa tête s'est tournée soudain. Il n'a rien vu ni rien entendu venir. La camionnette l'a heurté de plein fouet. Il est resté étendu là, au milieu de la rue, et les piétons ont dû arrêter les voitures pour venir à son secours. Lorsqu'il a repris conscience, il semblait aller, comme après une simple chute. Les témoins ont quand même appelé une ambulance.

Le temps que j'arrive à l'hôpital Royal Melbourne, les radios et les scanners étaient tous revenus négatifs. Les docteurs allaient le laisser repartir, mais l'un d'entre eux, celui qui semblait le plus jeune, fronçait les sourcils : pour lui, quelque chose clochait. Ce patient était trop vague, trop poli. Quand j'ai franchi le seuil, ce jeune docteur le criblait de questions. La voix de Jack donnant son nom, son âge, sa date de naissance, du tac au tac, m'a accueillie dans la pièce. Mais, quand j'ai couru vers lui, il y eu un lac de silence dans son regard. Le contact de mes mains sur sa poitrine m'a semblé étranger, comme si je touchais le corps d'un inconnu. Il se souvenait de tout. Sauf de moi. Les deux autres médecins tentaient de contrôler leurs expressions. Leur déduction était facile à deviner. Amnésie sélective : quelle excuse idéale pour une rupture. Seul le docteur qui interrogeait Jack n'avait pas le sourire aux lèvres.

Il a réussi à convaincre Jack de se soumettre à de nouveaux examens. Il l'a envoyé voir des spécialistes. L'amnésie sélective est un effet secondaire assez fréquent des traumatismes crâniens. Les relations, les talents particuliers ou artistiques, les domiciles, peuvent être oubliés, alors que d'autres éléments sont sauvegardés. Je fais simplement partie de ce qu'il a oublié, comme son adresse et ses chansons. Il ne peut plus jouer de guitare. Mais il se souvient de son père, de sa mère, de ses amis, de son école, de son enfance. Sa mémoire est un patchwork de couleurs et de trous noirs.

Nous avons cohabité ainsi pendant des mois, comme de courtois étrangers, Jack et moi. Je lui indiquais où se trouvaient les tasses ou la boîte à fusibles. Il devait me demander le nom des voisins ou le jour du ramassage des ordures. Mais, en dehors de cela, je ne testais pas sa mémoire, et je m'évertuais à me transformer en colocataire. Nous avons élaboré une sorte d'amitié – respectueuse, détendue, attentionnée. La guitare est restée appuyée contre le mur.

Puis, un jour, il m'a annoncé qu'il avait trouvé un boulot de gardien de zoo. C'était facile pour lui, car il avait commencé des études vétérinaires avant de laisser tomber pour créer un groupe – maintenant il lâchait la musique. Ses doigts ne caressaient plus sa guitare comme si c'était un animal. Ce qui coulait de source, ce qui était si proche, est devenu lointain.

Je ne sais pas s'il continue à m'écrire parce que les médecins le lui conseillent ou parce qu'il en a simplement pris l'habitude. Je fais attention de ne jamais rien lui envoyer avant d'avoir reçu sa réponse et de laisser un intervalle raisonnable s'écouler entre deux lettres.

Dans la fenêtre de la cabane à outils, je nous vois reflétés, Jack et moi. J'ai les bras autour de sa taille et il marche en me tenant debout sur ses chaussures. Je repose ma bêche et reprends ma respiration, me forçant à ne plus regarder que des surfaces opaques, avant de recommencer à creuser. Éviter de penser au passé peut être une sorte de yoga mental.

Le cinéma est très utile. Je peux me concentrer sur un film au lieu de rejouer une séquence de ma vie en boucle. Hier soir, j'ai regardé *Billy Elliot*. Sans éducation, sans culture, le gamin de banlieue court les rues, comme nous courons après l'amour, en nous cognant, en trébuchant. Billy a *besoin* de danser. Il danse partout − dans les caniveaux, les gares de triage, les lotissements. Puis, il est remarqué. Le jury d'une grande école évalue son talent. À la fin, on lui pose une simple question : « Pourquoi dansez-vous ? » Son visage est vide. Il n'a ni mots, ni véhicule culturel où verser sa réponse. Sa physionomie d'enfant les fixe, muette, presque gelée, avant de se détourner avec apathie vers la porte. Puis, juste à l'instant où la porte ouverte va à nouveau l'avaler, Billy se retourne au ralenti, et répond *in extremis* : « Parce que, quand je danse, je disparais. »

Je suis revenue à mon point de départ − Jack. Sa présence. Son absence. Tout me rappelle Jack. Maintenant je disparais dans le jardinage, je jardine jusqu'au coma.

Mitali pivote vers moi, tenant sa bêche comme une mitrailleuse. Son visage flotte un instant avant d'apparaître vraiment, comme si elle aussi était un reflet sur la vitre de la cabane. Elle me sourit, un sourire presque volontairement étincelant. Elle a sa façon bien à elle de vous forcer à être là.

« Ma belle-fille Billie est sauve. Simplement de le savoir, de se le répéter, rend chaque jour si neuf, bordel. Je l'aime, cette gamine. Je n'ai jamais compris pourquoi je l'aimais autant. »

Elle fronce les sourcils.

« Je n'ai d'ailleurs jamais compris pourquoi j'aimais les gens. Toi, par exemple. Quelle idée de t'aimer, toi, hein ? »

Et elle fronce les sourcils de nouveau comme si, réellement, la réponse lui semblait impénétrable. Maintenant elle est à genoux, et je suis debout en train de tailler un buisson à côté d'elle. Je ne peux pas voir son expression. Nous sommes dans les entrailles du jardin qui respire autour de nous.

« C'est beau de voir le cancer s'évacuer de son métabolisme, de voir la confiance dans son propre corps lui revenir. Je sais que c'est une maladie évidemment, mais on dirait plutôt une *présence*, qui peut arriver, mais aussi vous quitter. »

Ce qu'elle dit est si différent des commentaires de Sarah sur le cancer de sa mère – une malédiction partagée, une tristesse commune que leurs deux cœurs ne peuvent plus contenir. Mais je n'ai pas l'occasion de penser à elles, car Mitali s'arrête et lève la tête vers moi. Elle est comme un animal qui sait instantanément quand notre vraie présence s'est absentée.

« Comme la mort continue-t-elle. La mort voyage en nous, nous traverse. Elle n'est pas supposée rester. Mais, quelquefois, elle s'installe à demeure. »

Son visage se ferme, et je sais qu'elle est en train de penser à son frère – aussi sûrement que si elle avait poussé un cri de colère et de désespoir. Parfois j'ai l'impression qu'elle me demande silencieusement de l'aide. Un sentiment d'urgence inepte m'envahit. Mais tout ce que je peux faire, c'est continuer à tailler mon buisson. Une dentelle de pluie flotte dans l'air ; un palais de gouttes s'est formé autour de nous. Les heures s'évadent. Nos mouvements s'imprègnent à nouveau de dévotion. Nous pourrions être agenouillées dans un monastère zen. Mais, quand Mitali balaye ses cheveux en arrière avec son gant boueux, on peut lire une question écrite sur ses traits : *Pourquoi suis-je vivante, alors que mon frère pourrit en terre ?* Puis elle se penche à nouveau, dévote du jardin. Je m'adresse à son furieux nuage de cheveux.

« Je viens de rencontrer une fille d'Adélaïde qui connaît ta belle-fille. »

Elle rejette la tête en arrière avec un ricanement.

« Qu'est-ce qui te fait croire que j'aime les coïncidences ridicules ? »

J'étouffe un rire, et donne un autre coup de sécateur avant de répondre :

« Eh bien, que cela te plaise ou non, en voilà une. Ta belle-fille s'appelle bien Billie que je sache ? »

Une voiture rugit derrière la barrière du jardin.

« Tu parles de Mary ? »

Je hoche la tête. La pluie semble avoir été emportée loin de l'autre côté de la baie. Je l'imagine en train de tomber sur le zoo de Werribee. Tout en regardant ses mains travailler, Mitali fronce les sourcils.

« Je crois justement que Mary et Billie ont prévu de passer un de ces jours. J'avais oublié. Il est un peu tard maintenant... Mary est belle à crever, blague à part. »

Je ne dis rien. Je me demande seulement si le voile bleu va rappliquer lui aussi, ou s'il s'agit simplement d'un incroyable déguisement à la seule intention de Sarah. Cela paraît dingue, mais quelque chose en moi ne peut s'empêcher d'imaginer un canular. Est-ce si difficile d'avoir Sarah pour mère ? Qui y a-t-il entre elles ? Je me tourne vers Mitali.

« La mère de Mary, Sarah, est une amie. Tu l'as déjà rencontrée ? »

Sa réponse est lente.

« Je la connais, bien sûr. »

Cela correspond à la personnalité de Sarah. Sur Sarah, on ne fait pas de commentaires. Nous nous attelons à nouveau à la terre. Mitali attrape son piochon.

« Tu sais à quel point je suis obsédée par Jill Meagher ? »

Je hoche la tête.

« Je rêve encore d'elle, tu sais. Elle s'assoit au pied de mon lit, et elle me regarde. Elle porte la même robe et les mêmes chaussures à talons compensés que sur la vidéosurveillance du magasin de robes de mariées. Elle me parle avec intensité. Je ne distingue pas ses mots. Elle se penche plus près, mais je ne peux toujours pas l'entendre. »

Mitali flanque son piochon dans le parterre, comme si l'idée même de jardiner était une mauvaise plaisanterie.

« Tu ne rêves jamais d'elle, toi ? »

Je secoue la tête, elle insiste.

« Jamais, vraiment ? »

Quand je secoue la tête à nouveau, cela semble la faire enrager. Le crépuscule se presse autour de nous. Nous pouvons à peine voir nos outils, mais elle attrape à nouveau sa truelle.

Quand on travaille à côté de quelqu'un chaque jour, les gestes qu'il choisit, les silences qu'il crée et les commentaires qui lui échappent, forment un portrait vivant, changeant. Un reflet de son identité profonde émerge petit à petit. On n'est jamais surpris par les idiosyncrasies de ceux avec qui l'on a travaillé. On n'est pas surpris s'ils lisent Dostoïevski, boivent comme des trous, deviennent travestis ou chantent dans un chœur. Je ne suis pas surprise de voir Mitali piocher comme une démente, ni de la trouver dans un état dont elle ne parvient pas à s'extraire. Je n'ai pas besoin d'explications.

Bien sûr, c'est étrange de pleurer cette étrangère, avec des larmes qui ne sont pas les nôtres — comme un écho que l'on ne peut pas tout à fait atteindre. C'est un peu comme d'écrire l'histoire de ma grand-mère. Pourquoi faisons-nous ça, je me le demande. Peut-être que traiter des morts est une autre sorte de jardinage.

Nous creusons encore, j'écoute Mitali manier sa bêche et se battre avec la terre, occupée à *désenterrer*, à exhumer — l'opposé de planter — les bulbes et les graines. Les mottes de terre volent derrière son dos pendant que je mélange du gypse à ce coin trop argileux du jardin. Une chauve-souris, aussi grosse qu'un chat et volant en rase-motte, atterrit dans un arbre à notre gauche. Les branches semblent soupirer et osciller en la recevant. Un signal de la nuit approchante. Nous aurions dû nous arrêter il y a près d'une demi-heure. Mais cela n'a pas d'importance.

Mitali ralentit un peu.

« Billie va retourner dans son appartement bientôt, mais je reste bloquée sur la peur de la perdre. Sa leucémie m'a poussée vers des degrés d'affection que je ne soupçonnais pas en moi, qui étaient là, à attendre, bon sang. Et maintenant qu'elle est rétablie, je ne suis toujours pas heureuse. Je n'arrive pas à croire à cette histoire de guérison, parce que la mort est encore là, à rôder. Et Jill Meagher... »

Un souvenir diffus me revient. J'ai déjà aperçu Billie dans la rue, alors je finis la phrase de Mitali :

« ... ressemblait à Billie ? A-t-elle de longs cheveux noirs bouclés et... »

La tête de Mitali se redresse brusquement.

« Ouais, exactement. Elles sont si semblables. Maintenant, il y en a une qui est vivante et l'autre qui est morte − comme mon frère et moi. »

Elle repose ses mains sur le parterre surélevé devant elle et ferme les yeux.

« Je suis fatiguée, bordel. »

La façon dont elle se penche vers la terre me rappelle que nous ne savons rien sur la façon dont dorment les mouettes. Puis elle parle à nouveau, sans me regarder, les yeux rivés sur le sol.

« Mon amie Olga, celle qui est morte le mois dernier, celle qui était dans le coma, branchée à une machine... Je n'ai toujours pas téléphoné à sa mère. Je croyais que je n'avais pas le temps, le temps *émotionnel*. Mais je connais la vraie raison à présent. Ça me fait peur, bordel de merde. Tout simplement parce que, lorsque j'aurai appelé sa mère, Olga sera morte pour de bon, pas vrai ? »

À nouveau, j'ai cette occulte impression qu'elle me demande mon aide. Et, à nouveau, la seule chose que je puisse aider est le jardin.

Le vent se lève avec la fin du crépuscule, et nous nous mettons en route avec lui. Nous vidons notre sac de feuilles, d'orties et de branches coupées dans la poubelle verte. Je grimpe sur le dessus pour les tasser, malgré cela le couvercle ferme à peine. Mitali, la tête renversée en arrière, rit d'un rire hoquetant, essoufflé, presque brisé, et je réalise que je ne l'avais jamais entendue rire auparavant. Elle ne me tend pas la main pour m'aider à sauter par terre – comme on ne le ferait pas non plus pour un frère. Le jardin, ratissé et débarrassé de ses orties, semble faire une ultime révérence au crépuscule.

Nous ramassons nos outils et retournons dans la rue. J'entends à peine les bruits que nous faisons ; l'air a la consistance d'un buvard.

« Je viens de recevoir une lettre de lui », je chuchote.

Je sais qu'elle m'a entendue. Son silence vivant est celui d'un animal. Je ne lui ai jamais parlé de l'accident de Jack, mais, à la façon dont Mitali se tourne vivement vers moi, il est évident qu'elle sait ce qui est arrivé. Tout Brunswick sait ce qui est arrivé à Jack. Nous sommes tricotés ensemble dans une « maille brunswickienne », un peu comme ces tissages dont des femmes entourent les troncs d'arbres et les réverbères.

6

Vers luisants

Quand deux femmes marchent ensemble dans les rues de Brunswick, chaque son qu'elles émettent flotte librement dans l'atmosphère, chacun de leurs pas s'imprime sur la terre. Souvent je me mets dans leur sillage pour attraper des bribes de leur conversation. Et bientôt – c'est seulement une question de temps –, ce que j'attends arrive toujours : l'une ou l'autre lâche inévitablement deux mots sur un ton lent, sensuel et monocorde. « Je saaaaaaiiiiiiis », dira-t-elle. Ce qu'elle sait a peu d'importance, ce qui compte est que son amie ne soit plus seule avec son inquiétude, mais soutenue par le gémissement harmonieux à ses côtés.

Maintenant, je suis sur Sydney Road, au sein du doux périmètre où je vis et travaille – doux car rempli de traces et de visions familières. Je reconnais les démarches, les jurons, les inclinaisons de nuque, les tatouages et les piercings, les mentons pas rasés et les crânes chauves. Je reconnais les vieilles en robe noire, aux mains noueuses et au regard étincelant – celles qui vivent encore, en esprit, dans les petits villages perchés d'où elles sont venues, prisonnières d'une Italie qui n'existe plus. Même si elles vont au supermarché Coles ou Safeway, même si elles usent du mot d'ordre ambiant « *no worries* » – « pas d'inquiétude » –, Brunswick est pour elles un monde parallèle. Leurs maris, assis les uns en face des autres devant des cafés, sirotent des expressos bien tassés avec un coup de liqueur, le regard rivé au-delà du flot de passants. Puis, ils rentrent chez eux, dans leurs maisons de style victorien, dont ils ont ôté les ferronneries aux relents de Louisiane et cimenté le jardin de devant, plantant à l'arrière leur potager et leur inévitable citronnier, ils disparaissent dans leurs intérieurs sévères, immaculés, avec leurs toiles cirées, leurs crucifix, la photo du dernier pape et – parce qu'ils savent gérer les volets, les stores et l'air nocturne – leur fraîcheur de caverne en été.

Même si le printemps hésite encore, c'est une journée ensoleillée, et la foule – comme après une guerre – marche sans but. Une foule de femmes universitaires, d'artistes branchées, de commerçantes, de tous âges et de toutes nationalités, sillonne les trottoirs avec la même charge d'amour inutilisé – pendant que les trams grondent de leur régulier fracas.

J'ai rendez-vous avec Bernice. Il est déjà une heure et je cours. Bernice est rarement en retard. Green, sur Sydney Road, est bourré, mais elle a mis la main sur une table. Je fais la queue pour nos cafés et les rapporte. Elle se débat pour me rembourser. Comme je refuse, elle saute sur ses pieds et nous achète des gâteaux. C'est compulsif, elle a besoin de donner. Et le monde prend. Les hommes en particulier. Les anniversaires, Noël, une bonne nouvelle, un examen, une bonne atmosphère, tout est prétexte pour un cadeau. En ce moment, elle est branchée sur RSVP, le site de rencontres.

« Ah, ces hommes... Ils feuillettent les photos et choisissent une femme différente chaque soir », se plaint-elle en attendant que nous soyons servies.

Il est évident qu'il ne lui vient pas à l'idée de faire la même chose, même si elle me paraît être une romantique hautement organisée.

« Si quelqu'un entre en contact avec moi, je me pointe sur mon trente et un, chancelant sur des chaussures à talons trop serrées... »

Je fais une grimace compatissante. Je l'imagine tellement, avec son maquillage de peinture de guerre et son cœur battant – un étincelant papillon victorien voletant sur le Net.

« Et, bien sûr, ils ne me rappellent jamais. Ils ne s'intéressent qu'aux jolies filles. »

« Mais tu *es* jolie, Bernice. Ce serait même le mot exact pour te décrire. »

Je la regarde. Sa robe froufroutante, ses seins chaleureux, sa peau de camélia – un bonbon prêt à être déballé.

« Il doit y avoir une explication. » Elle pousse un violent soupir. « On doit se faire désirer. La voilà, l'explication. Tout le monde me le dit. »

Son visage se chiffonne.

« Le problème, c'est que je dis "Je t'aime" après le premier rendez-vous. Je ne peux pas m'en empêcher », chuchote-t-elle d'un air coupable.

« On est dans le même bateau, Bernice. L'homme que j'aime, lui, préfère la compagnie des girafes. »

« Moi, si j'étais toi, je ferais un raid au zoo de Werribee. »

Je la regarde d'un air catastrophé.

« L'idée même de faire une chose pareille me donne le tournis. »

Ma réticence lui est mystérieuse.

« Mais pourquoi ? Tu devrais le secouer, sinon il va t'oublier pour de bon. »

Elle aussi connaît mon histoire. Je reste muette. Le zoo de Werribee s'impose si soudainement à mon esprit qu'il fait resurgir la perception enfantine de la réalité avec sa disproportion gigantesque. Je me souviens des premières fois où j'ai été saisie et emportée au-delà des limites de mon existence. Je devais avoir deux ou trois ans. C'était sur une balançoire. Alors que les quelques pièces d'un appartement composaient les limites de mon monde, une immense vague de terre a surgi devant moi. Un peu plus tard, j'ai grimpé jusqu'à un grenier, une gigantesque marche d'escalier après l'autre. Complètement seule dans l'obscurité et le silence grinçant, poussiéreux, arachnéen, j'ai regardé par la lucarne. Au lieu de découvrir Barbe Bleue ou la sorcière, comme je m'y attendais, tout un monde s'est présenté à moi, et, en un éclair, j'ai compris que la terre était ronde comme mon père me l'avait dit. Mais il n'y a ni balançoire ni lucarne de grenier pour me permettre de sonder le zoo de Werribee.

Bernice me sourit.

« Ah, t'en fais pas. Ça ira pour nous, ça ira... »

Dans un coin de la pièce, j'aperçois soudain une burqa bleue. Green est un des QG de Brunswick. La burqa bleue parle à une blonde en jeans avec un sourire réservé et une blouse sexy. Elle aussi est un symbole. Je me tourne et fais semblant de regarder une affiche sur le mur, pour donner à l'éventuelle Mary une chance de me reconnaître. Rien ne se passe – elles sont dans un intense tête-à-tête.

Les mains de Bernice devraient être au musée. Elles sont étendues à côté de sa tasse comme celles des Vierges peintes par Memling, qui semblent à peine capables de tenir l'enfant souriant avec son auréole. Ce sont des mains à embrasser et adorer, ce ne sont pas des mains pour les couches et les biberons. J'ai vu celles de Bernice faire la vaisselle. Elles plongent dans l'eau comme d'hésitantes sirènes. Les assiettes et les verres glissent, s'échappent et dégringolent, ne gardant la vie sauve que par miracle. Les mains de Bernice ne rechignent pas à la tâche. Animée d'une sorte de dévotion, elles se précipitent dans l'action. Porcelaines et verres atterrissent sur le plan de travail, presque essoufflés. C'est beau à voir, tout s'accomplit par un hasard extraordinaire.

« Je n'ai pas encore acheté de landau », soupire Bernice. « Ce serait un peu prématuré, ajoute-t-elle avec une dignité un peu désuète, mais je me suis renseignée sur des écoles. »

Cela me rappelle le « J'ai tué le shérif, mais je n'ai pas tué le député, oh non... » de Bob Marley. Je lui demande si elle a une préférence pour une fille ou un garçon.

« Un garçon ? » Son visage s'effondre. « Je n'y avais jamais pensé. Vu mes performances avec les hommes, il ne me manquerait plus que ça », soupire-t-elle avant de hausser les épaules.

Je lance un regard à la possible Mary. Bernice se penche vers moi pour chuchoter :

« Nous, les femmes, nous pouvons faire exactement comme nous voulons à Brunswick, tu ne trouves pas ? Personne ne juge, tout le monde nous souhaite du bien. »

À ce moment-là, le visage bleu se retourne et lance un appel que je n'entends pas bien. Je souris prudemment. Elle se lève maintenant. C'est vraiment Mary, sans erreur possible. Bien qu'elle soit empêtrée dans tout son bleu, elle s'avance vers nous rapidement. En une seconde, sa voix claire et son bon sens me redeviennent familiers.

« Alors, comment te sens-tu à Melbourne ? » je demande.

« Pas si mal. »

Elle me dit le nom de son amie et lui fait signe de venir à notre table.

« Elle était à la même université que moi. »

Bernice est douée pour construire des passerelles. Elle établit votre lieu d'origine, le sien, et met un territoire sous les pieds de tout le monde. Puis elle passe à ce que l'on peut avoir en commun, cela peut être n'importe quoi – un livre, le fait d'être une femme ou le goût pour le bon café. Elle répète le nom des gens après ses phrases, les ancre encore davantage. Un jour, j'ai entendu parler un psychologue expert en prises d'otages. Il utilisait les mêmes méthodes. Cela jette un nouvel éclairage sur Bernice.

Je sens que Mary m'a peut-être fait un clin d'œil, mais je ne peux évidemment pas en être sûre.

«Billie m'a dit que sa belle-mère aimait travailler avec toi. »

Je pousse sa burqa résolument hors de mon esprit et je dis à Mary combien Ian et Mitali sont soulagés que Billie soit tirée d'affaire. Sans Sarah, c'est soudain plus facile de lui parler. Nous prenons un second café. Je demande à Mary si elle habite toujours chez sa mère.

« Ouais. On s'entend assez bien d'ailleurs. »

Je ravale ma surprise. Elle continue même :

«Nous avons regardé plein de films ensemble. Et je vais peut-être avoir du travail bientôt, dans le magazine *The Monthly*, pour faire leur mise en page, avec un peu de chance. »

Ses mains sont posées sur la table. Je les regarde. Peuvent-elles donner des indices ? Bien différentes de celles de Bernice, elles sont légèrement potelées, avec des ongles coupés court, un peu comme des mains d'enfant, sauf qu'elles sont d'une agilité surnaturelle. Elles semblent *intelligentes*, comme si elles *savaient* des choses. Elles agissent comme mues par des décisions soudaines. Pleines de caractère et d'efficacité, elles n'hésitent pas, n'errent pas autour de la tasse comme les miennes. Je plonge mon regard un instant dans le voile, et j'attrape la lueur bleue de son regard pour la première fois – un bleu de Delft, étincelant. Il n'y avait pas de raison qu'elle ait des yeux de charbon, mais je ne m'attendais pas au déferlement de ce bleu Klein. Même si j'essaye de m'empêcher de penser à sa burqa, mon esprit y retourne toujours, comme un chien retourne à son os.

Bernice bavarde avec l'amie de Mary de leur ancienne université.

Je me retrouve étonnamment à l'aise en présence de Mary. Loin de me demander sur quelle fesse je vais m'asseoir ou à quel endroit je vais appuyer mon coude sur la table, je découvre que nous avons toutes les deux lu *La Ballade du café triste*, Mollie Panter-Downes et Stefan Zweig – des ponts inattendus surgissant de nulle part. Aimer le même livre, c'est vraiment avoir vécu dans le même village retiré ou le même quartier d'une ville sur-peuplée. Mary et moi échangeons nos e-mails, puis elle se lève avec son amie pour partir.

Bernice retourne à ses landaus et à ses hommes. Depuis la dernière fois que je l'ai vue, elle a pris une série de décisions. Elles semblent légèrement désincarnées, mais l'enthousiasme de Bernice leur insuffle forme et couleur. Pendant un moment, elles rayonnent – soudain je peux presque les voir : le landau, les jouets, le berceau, les petits vêtements, la maternelle, l'école –, elles se hissent dans la réalité. Mais tout de suite après Bernice s'affaisse sur ses coudes et soupire :

« C'est si dur de le faire seule. Je voulais une famille. J'ai toujours voulu une famille. »

Nous nous dévisageons pendant que, tels des ballons multicolores dans sa tête, ses décisions s'amenuisent, se rapetissent avant de se dégonfler tout à fait.

Elle secoue sa frange.

« Mary est musulmane depuis longtemps ? »

Je lui réponds que je n'en sais rien.

« C'est un peu extrême, tu ne trouves pas ? »

Je hoche la tête et ouvre mes paumes en un geste de doute. Peut-être sommes-nous tous extrêmes, trop occupés à *espérer* au lieu de *vivre*. Nous espérons tous quelque chose : Bernice rêve d'un mari et d'un enfant, moi je rêve de Jack, Sarah rêve de retrouver sa fille, et Jack rêve de sa mémoire. Mitali, la seule au-delà de l'espoir, tente simplement d'accepter ce qui s'est déjà passé.

Bernice regarde le cadran de sa minuscule montre et saute sur ses pieds. Elle doit se précipiter à la station de radio, où elle va interviewer des inconnus et éclairer chaque atome d'humanité qu'ils possèdent. Ils ne verront pas son minuscule sac, ni son parcours avec les hommes, ni sa démarche aux genoux légèrement en dedans ; ils ne verront pas son rouge à lèvres criard les jours de déprime, ni les fossettes de ses coudes malheureux appuyés sur le bar de Sarah ; ils n'entendront que son rire qui s'envole, et sa foi dans le parti travailliste. Et pourtant, des effluves de sa vie s'infiltreront dans le plus ordinaire de ses commentaires. Après quelques minutes de conversation avec elle, ses interlocuteurs ne se sentiront plus des étrangers, des traîne-savates, des tarés, des beaufs – ils apercevront une côte à l'horizon, ils se hisseront à nouveau sur le radeau que nous partageons tous, et ils recommenceront à pagayer.

Je lui fais signe de la main pendant qu'elle trace sa route à travers les tables. Le café déborde de monde. Les étudiants font la queue pour des tortillas, des salades et des cafés à emporter. Chacun d'entre eux utilise la palette de la mode pour devenir, selon l'humeur, un Goth, un Wisigoth, un gamin famélique et abandonné, une Jane Austen ou une grand-mère à mitaines. Assise face à la chaise vide, je repense à ma propre grand-mère, comme si elle avait patienté dans les coulisses jusqu'à ce que je sois seule. Sa tristesse, ses désirs, ses profondes émotions inutilisées, mais *disponibles*, ont été laissées derrière elle comme une lettre qui n'attendait que moi pour être lue. Sûrement que quelque chose subsiste de nos épiphanies et de nos découvertes quand nous mourons – surtout pour ceux qui meurent soudainement. Où les laisse-t-on ? Il doit exister une possibilité de reprendre la tâche là où elle a été interrompue. Jack le pensait autrefois.

La nuit où j'ai rencontré Jack, sous la pluie, je rentrais chez moi – au premier endroit où j'ai logé à Melbourne. J'avais encore un visa de touriste et je n'avais pas la moindre idée de ce que j'allais faire. J'avais, je ne sais comment, atterri ici, à Brunswick – c'était à peu près tout. J'avais dû trébucher sur une des racines qui surgissent de l'asphalte et j'étais allongée de tout mon long sur le sol, quand j'ai senti une main sous mon coude. Après un sursaut, j'ai levé la tête, et j'ai vu le visage de Jack. Il avait un sourire serein, rassurant, comme si les femmes trébuchantes et haletantes ne l'exaspéraient pas. Nous avons continué à marcher, les melaleucas nous accompagnant de leurs ombres. Bientôt, j'ai commencé à parler de ma

grand-mère, pas la meilleure manière d'encourager un
homme, mais je ne pensais pas à lui comme à un *homme* –
c'était seulement un être humain dans la nuit. Ce sursaut
du sexe opposé était absent, ce fandango dans lequel
tombent les gens comme si l'attirance était aussi codifiée
qu'une course de taureau – olé.

Il pleuvait, il faisait nuit, et nous étions sous les *ghost
gums* – les « eucalyptus fantômes » –, aux immenses troncs
lunaires qui irradient dans la nuit.

« Elle est souvent à la périphérie de ma journée,
comme si elle restait là à attendre que je comprenne
quelque chose. » Je l'ai regardé avec un sourire embar-
rassé. « Je ne veux pas dire qu'elle est un fantôme ou
quelque chose comme ça. »

Il a souri gravement.

« Bien sûr. »

Il était adossé à un tronc blanc, presque phosphorescent.

« Les gens laissent parfois les choses en friche derrière
eux. Je suis musicien. Je le ressens souvent – un nuage de
larmes non versées, de sourires boomerangs qui ne
reviennent pas, de non-dits qui encombrent l'air autour
de nous. »

Il m'a à nouveau souri.

« La musique s'occupe de tout cela. »

« Comme un nettoyage de printemps... »

« C'est ça. »

Baissant la tête pour se rapprocher de l'arbre quand la
pluie s'est mise à tomber à coups redoublés, Jack m'a
parlé de son propre grand-père, un vieil homme grincheux,

rocailleux, dont il s'occupait lui aussi à faire le nettoyage de printemps. Enfant, Jack aimait le suivre dans son jardin, respirer le même air que lui.

« Il était grognon et contrariant, il ne marchait jamais sans une canne et répondait du tac au tac à qui osait lui adresser la parole, mais moi, cela ne me dérangeait pas. »

Sa présence avait quelque chose de vrai et de convaincant, quelque chose qui faisait bondir le monde comme un ballon pour un gamin de dix ans.

« Un jour, il m'a annoncé qu'il voulait me montrer quelque chose. Il s'est dirigé vers sa vieille voiture Holden, en me faisant signe de le suivre. Après avoir balancé sa canne sur le siège arrière, il s'est mis au volant et nous sommes partis. »

Lithgow, la ville où il habitait, était restée loin derrière eux. Ils avaient parcouru des kilomètres sans fin de plaines arides et clairsemées. Bientôt, Jack avait réalisé que le crépuscule arrivait et qu'il allait rater un match de football à la télévision.

« Mais cela n'aurait servi à rien de dire quoi que ce soit sur le sujet. Je le savais bien. »

Ils avaient roulé, et roulé, à travers cette lande desséchée, sans atteindre la moindre destination. Finalement, au milieu de nulle part, le grand-père de Jack avait coupé le moteur. Il était parti à pied en direction d'une butte, comme s'il connaissait le chemin. Marchant derrière lui, Jack ne voyait, à perte de vue, que des fourmilières trônant dans un maquis déchiqueté. Soudain, le vieil homme avait plongé dans les broussailles. Jack avait suivi et s'était retrouvé dans une sombre grotte où tout semblait luire et scintiller. Chaque recoin des parois clignotait, comme si les étoiles étaient venues s'enterrer là.

« Des vers luisants », avait commenté le vieil homme.

Ils étaient restés un long moment sans échanger d'autre mot, puis ils avaient repris le chemin du retour.

Le grand-père de Jack rêvait toujours de mines d'or et, plus tard, il a acheté une ville fantôme pour cinq cents dollars. Il a connu une mort australienne. Un jour, il a repris sa vieille Holden pour aller dans le désert, occidental cette fois. Son corps n'a jamais été retrouvé – seulement sa voiture. Je me demande si Jack s'en souvient maintenant.

Quelques jours plus tard, je travaille dans un jardin avec Kim et Mitali, quand Billie et Mary surgissent de nulle part. Elles annoncent qu'elles se sont installées ensemble et demandent si elles peuvent emprunter la voiture de Mitali pour déménager leurs affaires. Je ne dis rien, mais je pense à Sarah. Je les imagine devant leur film, en muette communication, récupérant doucement leur territoire commun, mine de rien. Bien sûr, la burqa n'est plus entre elles quand elles sont seules à la maison. La nuit, Sarah peut enfin voir le visage de sa fille. Mais maintenant, après si peu de temps ensemble, Mary va repartir dans le bleu. J'espère que cela aura été suffisant.

Nous sommes debout dans le crépuscule, nos outils à nos pieds. La journée est terminée. Le jardin lui-même, avec ses parterres fraîchement retournés et ses buissons taillés, semble avoir été dérangé dans son sommeil. Peut-être que ce lieu tranquille n'avait pas besoin de trois officiantes ni d'une attention aussi efficace. Soudain, je vois quelque chose scintiller. Je m'approche de la minuscule lumière, laissant les quatre autres bavarder derrière moi. Il y a une autre lueur un peu plus loin, je la suis, et je tombe sur quelques morceaux de quartz que, pendant quelques secondes, je prends pour des vers luisants.

7

Merri Creek

Merri Creek est une petite rivière avec une volonté bien à elle. La mairie se mêle de ses affaires de temps à autre, mais Merri Creek est une hippie paresseuse et obstinée. Elle ne veut pas changer, elle traînasse à son gré, en dépit des appartements et des maisons, en dépit des ponts et des berges, en dépit des grillages constellés de sacs en plastique ; c'est une survivante – comme Sarah, que la simple présence de sa fille peut décomposer pourtant.

De temps en temps, derrière les parapets et les citadelles de nuages, on entrevoit le soleil en haut du ciel. Les perroquets vert et rouge remplissent les arbres de leurs conversations. En un va-et-vient féroce, le vent nous happe en avant ou nous aspire en arrière, Sarah et moi, attrapant nos vêtements avec tant d'insistance, comme pour nous transformer en statues de sel.

Je n'ai jamais lu la Bible, mais elle demeure là, pieuse et satisfaite, aussi seigneuriale que Shakespeare – un grand trou dans mon éducation. Pourtant des images m'en viennent comme si je l'avais lue. Je flotte peut-être dans une Bible amniotique. Les trois Rois mages voyagent jusqu'à Bethléem en suivant une étoile, puis ils restent là à attendre un bébé dans un berceau de paille. L'image me vient à l'esprit, ici, le long de Merri Creek – sans doute parce que notre attente semble sacrée. À côté de la mienne, je sens aussi celle, étrange, de mon amie, que je ne peux nommer, ni comprendre. Cela me pousse à écouter les oiseaux, le vent et l'eau avec une attention particulière, comme si tout devenait un indice.

Je sais que Mary est installée depuis maintenant quelques jours avec Billie. Sarah est à nouveau privée de fille, juste au moment où les choses semblaient s'améliorer entre elles. Le son muet de sa douleur me rappelle l'écho mutilé d'une porte d'écurie battant dans la nuit des *Hauts de Hurlevent*. Les sortilèges vont bien à Merri Creek. Le mot « sortilège » n'est pas si démodé, ici, auprès des eaux. Elles se forcent un passage à travers hier et aujourd'hui, si transparentes, si implacables et chuchotantes, elles arrachent leur sagesse par bulles et par lampées, et le son de nos pas, le bruissement des herbes sèches confirment leur présage. Cela convient aussi à notre entente muette de nous retrouver près de l'eau.

« J'aime marcher ici près de la Merri. J'avais l'habitude de venir quand je suis arrivée d'Adélaïde », murmure Sarah. Mais ses autres tentatives de conversation résonnent comme des cailloux dans un tambour.

Son esprit est ailleurs, et elle s'installe à nouveau dans le silence. On pourrait dire que Sarah est une femme mystérieuse, mais ce serait trop facile – comme de dire que le tueur de Jill Meagher est cruel –, cela ne révélerait qu'une portion de la vérité. Sarah connaît le moment juste. Elle sait comment trouver le silence dans le tumulte de son bar ou dans le courant de la rivière, elle maîtrise la situation comme un ferronnier, les étincelles volant autour de son visage. Tout ceci est plus inexplicable qu'un simple mystère.

Nous marchons depuis peut-être une demi-heure, mais je n'en suis pas sûre – près de l'eau, le temps ne se laisse plus couper en tranches. Quand Sarah parle à nouveau, les mots lui tombent des lèvres presque négligemment.

« Mary m'a dit qu'elle t'avait vue la semaine dernière. »

« Oui, je suis tombée sur elle au café Green. Elle y était avec une amie. »

Entendre parler de sa fille la dénude immédiatement ; elle me lance un regard avide. J'observe la Merri avec précaution avant de continuer :

« Elle m'a dit pour son possible travail au magazine *The Monthly*. Ce serait bien pour elle, non ? »

Sarah regarde le ciel.

« Ce serait *parfait* pour elle. »

Elle enlève son pull en dépit du vent. Nous marchons encore près de dix minutes.

« Je suis contente que vous vous entendiez... Peut-être qu'en compagnie de Billie cette histoire de burqa passera. »

Nos chevilles frôlent les herbes. Chaque brin semble posséder un murmure indépendant. Un cycliste nous dépasse. C'est un homme sec en tenue de lycra. Il se retourne pour nous faire un signe de main goguenard.

Le lycra n'est pas des plus flatteur. Les organes génitaux, si impitoyablement définis, semblent prêts pour une dissection − cycliste se hâtant vers le supplice dans ses vêtements sacrificiels. J'aime que Sarah ne fasse aucun commentaire sur son passage.

Merri Creek aussi s'est calmée. La gravité du pas de Sarah réunit tous ces petits événements en un seul bloc. Quand elle prend une profonde inspiration, je ralentis sans y penser. L'heure de Sarah semble venue, elle déballe enfin ce qui la préoccupe :

« Est-ce que tu sais qu'elle n'a jamais enlevé ce machin devant moi, pas une fois, même pas à la maison le soir tombé ? »

Elle crache presque un soupir.

« Nous vivions ensemble comme sunnite et chiite. »

Je ne fais même pas semblant de ne pas savoir de quoi elle parle.

« Elle doit l'enlever pour dormir, quand même. Tu n'as jamais été dans sa chambre pour la réveiller ou lui demander quelque chose ? »

Sarah, les yeux fixés sur les méandres du chemin devant nous, secoue la tête :

« Non. »

Le mot est nu comme un caillou.

« D'accord. »

Ma remarque atone a dû éveiller le juste écho, car elle sourit. Parmi les bruissements des herbes, j'entends celui de la jupe de ma grand-mère − la sensation imaginaire de sa présence me rend plus conscience du monde autour de moi. Quant à Sarah, la rivière Merri lui est probablement d'une plus grande utilité que mes commentaires maladroits.

« Je pourrais digresser *ad nauseam* sur ce sujet », dit-elle avant d'ajouter, avec un sourire désabusé : « C'est ce que je fais d'ailleurs. Quand je pense à sa beauté... Mais, rassure-toi, je ne vais pas continuer ma logorrhée. »

J'enfonce les mains dans les poches de mes jeans.

« Ne pourrais-tu pas lui demander *directement* de l'enlever ? »

Sarah soupire à nouveau.

« Je l'ai fait. Si elle se "dé-voile", m'a-t-elle expliqué, elle ne pourra plus jamais se "re-voiler", et elle a *besoin* de porter sa burqa. »

Il y a un silence.

« Je sais. Je ne lui ai pas demandé ses raisons, mais je pensais que j'avais déjà poussé le bouchon un peu trop loin. »

Un oiseau que je ne reconnais pas pousse deux cris successifs avant que je ne suggère :

« L'islam ne semble pas très présent dans sa vie. Je veux dire, le peu que je l'ai vue, elle n'en a pas parlé une seule fois. On pourrait penser que... »

Sarah bondit presque :

« Tu as raison. Le côté culturel des choses masque le problème. C'est un argument si creux... On ne peut pas dire qu'elle récite le Coran tous les matins... Et son ex ne semble pas rôder dans les parages. Je pensais qu'elle faisait ça à cause de lui. Dans le genre : *nous sommes tous scouts, youkaïdi, youkaïda...* »

Elle donne un coup de pied dans une boîte de conserve et l'envoie valdinguer devant nous sur le chemin.

« Tu savais que son mari n'était pas né musulman ? »

« Vraiment ? »

« Oui, vraiment. Il est né dans le Queensland. C'est un Australien de souche. Il a commencé à fricoter avec un imam longtemps après avoir rencontré Mary. Sa décision de porter la burqa est récente – un an tout au plus. »

Je tourne tout cela dans ma tête.

« L'enlevait-elle devant toi quand tu étais chez elle à Adélaïde ? »

Sarah secoue la tête pesamment.

« Je ne l'ai pas vue *une seule fois* sans sa burqa depuis qu'elle s'est mise à la porter. » Sa voix trébuche : « Pas une seule fois. »

Le problème est si simple.

Sarah se baisse et ramasse la boîte de conserve qu'elle a envoyée promener pour la mettre dans un de ces sacs en plastique pincés dans des cercles métalliques sur pied, qui font office de poubelles dans les espaces verts. Les deux gestes la décrivent si bien. Thanatos, Éros. Elle étend la jambe pour donner un autre coup de pied, mais il n'y a plus de projectile sur son chemin.

« Je ne peux m'empêcher de penser que je suis celle qu'elle veut reléguer à l'extérieur – comme si elle menait un jihad contre *moi*. Je l'imagine même tombant le voile dès que je suis sortie de la pièce. Je suis complètement narcissique sur le sujet. Tout ce que je perçois, c'est cette porte bleue qu'elle me claque au visage – qu'importe le reste du monde. Je suis la seule personne concernée – parano, je sais. »

La façon dont elle dit « Je sais » est en tel contraste avec la façon dont c'est habituellement prononcé que cela semble presque une langue étrangère. Son pied a maintenant trouvé une pierre et elle l'envoie rouler dans la rivière d'un coup de botte.

« Pourquoi suis-je toujours sur la pointe des pieds avec elle ? Est-ce que je ne lui ai pas changé ses couches, bordel ? »

Le regard fixe, elle finit par concéder :

« ... mais pas aussi souvent qu'Helen, bien sûr. Ma mère était la grande maîtresse des couches. »

Inattentive, soyeuse, jouant de ses longs muscles limpides, la rivière coudoie ses propres reflets. Sarah continue sa marche en avant avec un soupir :

« Je ne comprends vraiment pas ce que Mary essaye de dire avec ça. »

Elle s'arrête et fait une grimace :

« C'est en train de devenir mon unique sujet de conversation, hein ? »

La burqa de Mary, avec son mélange des *Mille et Une Nuits* et de *Barbe Bleue*, est un conte de fées imposé à Brunswick sans heureux dénouement en vue. Je suis remplie de ce que je ne peux pas dire à Sarah, comme si le silence était le son de notre lien. Je tourne la tête pour la regarder.

« Peut-être que Mary transforme la burqa en tout autre chose. »

« C'est une idée... Le statut international du voile pourrait commencer à attirer différentes constellations de sens : des femmes qui se cachent ou qui se fustigent ou qui se rendent sacrées − la liste est sans fin. Mary, la pionnière... »

Brusquement, Sarah change de sujet.

« Tu n'as pas de nouvelles de Jack ? »

C'est alors que je lui parle de la lettre dans ma poche.

« Il continue de m'écrire. »

Mais elle doit voir quelque chose sur mon visage.

« Je saaaaaaiiiiiiiis... » dit-elle.

Je ressens un inexplicable soulagement, même si elle n'a pas plus de solution pour moi que je n'en ai pour elle.

Un chien blanc et noir, un kelpie, surgit des buissons et accourt vers nous. Son maître aux cheveux roux court derrière lui. Ils ne nous remarquent pas et nous dépassent en un éclair. Sur l'autre berge, à travers cet éclair roux, je remarque l'homme en lycra, à pied, poussant sa bicyclette près du pont au-dessus de nous. Quand il se penche pour attacher son vélo, il me fait penser à un berger ligotant les pattes d'une brebis pour la marquer au fer rouge. Bientôt il fera trop sombre pour entendre les oiseaux et nous prenons le chemin du retour sans nous consulter, instinctivement. Tout est plus beau dans le crépuscule, même les quelques hululements et glapissements. En foulant le sable de la berge, j'ai l'impression que nous portons quelque chose.

La nuit est presque sur nous quand Sarah jette un œil sur sa montre.

« Je dois bientôt être au bar, c'est mon soir. »

Je me retourne pour regarder le soleil couchant. Comme une grosse lune orange, il chevauche lentement la rivière, descendant sur nous. Mais j'aperçois autre chose. Un homme en survêtement franchit le pont derrière nous et, sur lui, le pantalon, au lieu d'être avachi, est tendu comme s'il portait une paire de jeans. Même dans les ombres grandissantes, son corps a une présence musclée.

Le cycliste en lycra descend les dernières marches pour atteindre notre côté de la berge. Soudain je prends conscience que ces deux êtres sont ensemble. Ils se connaissent. Ils se sont parlé près de l'eau. Ils ont convenu de quelque chose. Je le sais comme je sais que ma mère est morte. Ils sont si différents, mais leurs mouvements ont la même lenteur opaque. J'attrape le bras de Sarah.

« Sarah, ces types, ça sent pas bon. Fais attention. »

Maintenant ils avancent plus rapidement vers nous. Le froid m'envahit. Mon esprit ralentit et distille chaque idée pour la rendre pleinement utile. Sarah me jette un regard et j'entends ses respirations comme des épingles tombant sans un son sur le sol. Il n'y a presque plus de temps maintenant. Le temps a été complètement aspiré. J'ai une seule pensée – l'eau, se précipitant, froide et propre, sur les pierres lisses et noires, tuant l'air, exterminant les bulles d'oxygène.

Je sens une ombre éteindre le couchant derrière moi et, au même instant, je vois l'autre homme brandir un couteau devant Sarah, bien plantée sur ses jambes, à moitié tournée vers moi. Je sens sa voix couper le moment en deux, celui d'avant et celui d'après.

« Un couteau. Alors vous projetez de nous égorger toutes les deux, c'est ça ? »

Ses mots nous précipitent dans l'immédiat, tuant tout le reste, nous gardant fermement *ici* où nous avons à survivre, ne menant nulle part ailleurs, ni à croire à autre chose que *ceci*. La peur est une étrange et puissante force. Elle vous réveille d'un coup d'un seul. Tout ce qui n'est pas essentiel, tout ce qui vous parasite, tout ce qui ne fait pas partie de votre âme, disparaît en fumée. Serti dans l'instant, j'aperçois Jack. Son visage. Mais, au lieu de voir le film de ma vie passer devant mes yeux, je cherche des indices. Je cherche une grosse branche et, à nouveau, je regarde la rivière. Je ne me concentre pas sur les deux hommes. Ils ne bougent pas, comme si les mots de Sarah les avaient retenus un instant. Puis, avant que je puisse faire un geste, le type musclé fait un pas. Il a des cuisses comme des troncs d'arbres, et je le sens à moins d'un mètre. Je sais qu'une fois qu'il aura posé la main sur moi, je ne pourrai plus bouger. C'est alors que je saute sur Sarah et l'entraîne, pour nous précipiter toutes les deux dans la rivière. Les eaux se lèvent et nous éclaboussent. Sarah jaillit soudain à mes côtés, nous battons l'eau avec nos bras et nos jambes. Nous avons fait le bon choix – nous étions coincées – et maintenant nous bougeons. Avançant à grandes enjambées, nous nous propulsons vers l'autre berge, loin du soleil couchant – mourant.

8

LES ARCHÉOLOGUES

LE BAR DE SARAH, The Alderman, est plein.

« Les tentatives de viol et de meurtre sont bonnes pour les affaires », me chuchote-t-elle en passant près de moi avec des bûchettes sous le bras pour alimenter son feu de cheminée.

Il est huit heures du soir. On peut encore sentir le crépuscule dans l'air, bien que l'obscurité soit déjà tombée. Les gens sentent bon la douche et le maquillage frais. Au lieu d'être une fin, la nuit est un nouveau commencement à la face obscure, inversée. Les visages se reposent : les mâchoires des hommes se relâchent et les femmes sourient avec compréhension.

Une semaine a passé depuis notre promenade le long de la rivière Merri. Nous avons donné la description des deux hommes à la police. Ils considèrent que nous l'avons échappé belle. L'idée de sauter dans l'eau a fait rigoler tout le monde, sauf la police, étrangement. Il semblerait que ce soit souvent une petite chose qui fasse la différence entre la vie et la mort dans une attaque de ce genre.

« Vous avez eu de la chance bien sûr, mais le tout est de ne pas lâcher dans sa tête, à aucun moment », nous a dit un inspecteur. « Des femmes trempées d'eau glacée et décidées, qui ne sont pas paralysées par la frayeur, sont une tout autre proposition que des victimes tétanisées. À moins..., a-t-il ajouté avec un sourire, que ces gars aient une peur féline de l'eau. »

Peut-être que Jack regarde des félins à ce moment précis, les nourrit, pénètre même dans leurs cages. Je me demande comment il se débrouille sans musique. Il y a tant de questions sur lesquelles mon imagination trébuche – un peu comme dans un tableau de Magritte, des portes s'ouvrent sur le vide ou sur un ciel rempli de nuages terriblement bien rangés. L'homme en chapeau melon attend là, comme un clown sans cirque, dans son costume trois pièces. Je me sens comme lui.

C'est agréable de s'asseoir à l'Alderman maintenant que je connais Sarah. Même si elle est trop occupée pour me faire ne serait-ce qu'un clin d'œil, *ici* je peux être l'homme de Magritte en paix, sans détonner comme souvent les solitaires dans les bars. Ici, je peux lire et me souvenir d'autres bières et d'autres conversations, de l'autre côté de la planète. Le tabouret se métamorphose en un siège étrangement confortable, me transportant à travers le paysage de mon livre.

Quand j'étais gosse, je regardais les petits pois dans mon assiette pendant des heures. Si on les observe assez longtemps, ils deviennent mystérieux. Chacun d'eux a sa personnalité propre. On se prend de sympathie pour celui-ci ou celui-là. Je les avalais entiers pour les garder vivants à l'intérieur de mon ventre. La lecture, c'est un peu pareil. Les personnages s'installent en nous comme des petits pois – entiers, vivants. Quand on n'est pas au mieux, la compagnie des personnages dans les livres est préférable. Les gens réels vous ramènent toujours au souvenir que vous cherchiez à éviter. Nous sommes tous dans le même bateau, la cale pleine de malentendus et de sagesse hasardeuse, ramant inexorablement les uns vers les autres.

Le roman d'Albert Cossery, *Mendiants et Orgueilleux*, me vient à l'esprit. Deux mendiants sont amis. Mais l'un d'eux parle de se suicider. Son compagnon le supplie de ne pas céder à son désespoir. Le candidat au suicide explique qu'il pourrait aussi bien être en voyage dans un pays lointain. Son ami proteste : dans ce cas, il lui serait encore possible de l'imaginer se promenant au soleil ou savourant un verre de vin sur une terrasse ombragée. Mais, s'il est mort, que pourra-t-il imaginer ? Certainement ni son bonheur, ni l'air entrant dans ses poumons, ni le sourire sur son visage, ni le café lui réchauffant le ventre – quelle torture ! Chaque fois que je pense à cette histoire, elle me réconforte.

Jack est vivant. Il est peut-être en train de caresser une girafe, de refermer la cage d'un gorille ou d'offrir son index à mordiller à des perroquets. J'imagine le nuage de son souffle les jours d'hiver, et ses cheveux ébouriffés le matin. Je vois sa nuque et l'implantation de ses cheveux derrière son col, comme si quelqu'un les avait semés en fredonnant. Je vois la bonté dans ses yeux et sa lente démarche, car chacun de ses pas existe expressément pour être posé sur cette terre australienne où ses parents et ses grands-parents sont nés. Je me souviens de la forme de ses mains et de ses doigts et de ses ongles. Je vois ses pieds. Il a peut-être perdu la mémoire, mais il est vivant, et il foule la même terre que moi.

Penser aux livres ne marche pas toujours. Les sons du bar cessent de flotter autour de moi. Bernice me tapote l'épaule de son index.

« Je pensais que tu serais là. »

Puis ses dix doigts atterrissent doucement sur mon avant-bras.

« Tu es sûre que ça va ? »

Avec une expression sévère, elle avale une profonde gorgée de bière avant de continuer :

« Parce que *je connais ça*. Les choses font mal *après*. Sur le moment, elles vous éclaboussent juste, tu ne trouves pas ? »

Je lui souris.

« On peut dire qu'elles ont éclaboussé. »

Elle secoue la tête et cela fait bondir sa frange.

« Quand mon mari m'a quittée, j'étais en état de choc, mais je ne l'ai pas vraiment compris. Depuis des semaines et des semaines, et maintenant des mois, c'est comme s'il me quittait à nouveau, *encore et encore*. Alors, tu vois, *je sais*. »

Ses mots se réverbèrent dans l'air du bar – où ils semblent trembler. Chaque fois que nous manquons une occasion de consoler quelqu'un, nous devrions faire un nœud à notre mouchoir. Mais je n'en ai pas le temps, Bernice est déjà en train de s'éclaircir la gorge.

« Quoi que tu dises, je suis sûre que vous souffrez de stress post-traumatique. »

Sarah m'envoie un des ses regards tranquilles et je sens à nouveau la rivière – glacée, rassurante – contre mes jambes.

Bernice pose sa bière.

« La première fois que nous nous sommes rencontrées, c'était ici, non ? Peut-être que nous sommes assises exactement au même endroit, exactement sur les mêmes tabourets, qui sait ? »

Je tente de la distraire.

« Peut-être que c'est également exactement la même minute de la journée. »

Bernice regarde sa montre, les sourcils froncés, moi la pendule sur le mur comme si c'était une porte.

« Peut-être. » Elle fait un geste de la main : « J'ai pris la décision de ne plus boire de Pimm's N°1. C'est traître. »

Je ne peux pas m'empêcher de sourire. Je comprends pourquoi les gens aiment écouter son émission de radio. Les choses sont remises à leur place : les vagues dans la mer, les mouettes dans le ciel – elles cessent de glisser et de s'égailler dans tous les coins. Certains d'entre nous ont ce talent, un peu comme Atlas portant la terre sur ses épaules, sauf que Bernice tiendrait probablement le monde dans un landau Silver Cross.

Bien que son programme sur la radio Triple R soit un succès, elle ne pense qu'à son enfant fantôme. Le fait

qu'elle puisse avoir un garçon reste un casse-tête majeur.
Elle ne parle pas de landaus en ce moment, mais plutôt de
formulaires et de rendez-vous avec des psychologues qui
tentent d'établir son aptitude à être mère.

« Je te jure, les questions qu'ils te posent, soupire-t-elle.
Est-ce que vous allez au pub ? Non, je ne vais pas au pub. Ils ne
m'ont pas demandé si j'allais dans des bars. » Son front se
plisse. « C'était un mensonge, tu crois ? Par omission, je
veux dire. » Puis elle se ranime : « Quant aux pubs, je n'y
vais *jamais*. L'autre soir, c'était une exception – c'était un
événement *professionnel*. »

Puis elle revient à son sujet de post-traumatisme.

« Tu sais, vous devriez toutes les deux aller voir
quelqu'un. Je parie que tu fais des cauchemars. Un simple
cambriolage est un choc pour le métabolisme. Les gens
font une dépression parce qu'ils ont perdu leur télévision
et, vous, vous avez eu un couteau brandi sous le nez avant
de vous jeter dans une rivière glacée, alors imagine... »

Bernice imagine souvent le pire, un peu comme sur le
panneau que j'ai vu dans une caserne de pompiers :
Imaginez l'Enfer et préparez-vous. Sarah, toujours en train de
servir des clients, me lance un autre regard. L'eau nous a
rapprochées. Nous semblons avoir soudain acquis un lien
dont aucune de nous n'a plus l'habitude. Nous le recon-
naissons sans faire de commentaires, moi en venant au
bar plus souvent, elle avec ces regards qui m'incluent
comme si notre amitié avait progressé d'une octave.
Elle verse maintenant du vin blanc à deux hommes qui
viennent de franchir le seuil.

Ils poursuivent leur discussion de la rue. Sarah écoute d'une oreille distraite. Je peux les voir au-delà de Bernice, qui leur tourne le dos. Leurs avant-bras et leurs coudes sont couverts de taches de rousseur et de poils roux. Les tons de leurs peaux se confondent tellement qu'ils pourraient être frères, mais la structure de leurs visages, leurs voix et leur évidente amitié, n'évoquent pas le silence et les accès soudains de loquacité entre deux frères. Il s'agit ici d'une conversation détendue entre deux vieux amis – rassurante, fluide, remplie à ras bord de l'exacte quantité de silences et de mots. Ils semblent tous les deux sortir tout droit du désert, avec leur chaussures de tennis et leurs chemises beiges avec des poches à boutons sur des jeans fatigués. Et pourtant, leurs vêtements fraîchement lavés, repassés, et leurs visages bien rasés, trahissent des universitaires méticuleux et un peu démodés. Ils pourraient aussi bien être psychanalystes, fermiers, ou prêtres défroqués, pour ce que j'en sais. Ils s'intéressent apparemment aux sujets les plus divers.

« Une femme vient de mourir après avoir bu dix litres de Coca-Cola en une seule journée », vient flotter dans mon périmètre.

Il y a tant de compassion dans la voix que je me déhanche pour jeter un coup d'œil sur son propriétaire. Il ressemble à Raymond Carver en plus lisse et rouquin, et son ami à Cormac McCarthy avec des taches de rousseur.

Quand Raymond Carver dit : « Il y a une bonne chance que le nouveau pape soit africain », je vois Sarah sourire.

Bernice, la tête plongée dans les épaules, étrangère à ce qui se passe autour d'elle, se plaint de la radio Triple R.

« Je ne sais pas pendant combien de temps je vais pouvoir continuer à présenter ce programme. Écouter tous ces gens et faire semblant d'être " la madame Truc du bonheur "... Ah, nom de Dieu... » Elle soupire : « Quel est mon problème ? Je passe une soirée avec eux et ils sont partis. Je pourrais en faire une réclame : *Comment faire fuir les hommes plus rapidement qu'un travesti à la voix de crécelle ?* »

Son ton tente le sarcasme, mais ses syllabes s'élèvent dans l'air de la pièce aussi fraîches et cristallines que celles d'un enfant de chœur. J'aperçois un sourire grandir à mesure sur le visage des deux hommes.

Bernice secoue maintenant la tête avec découragement.

« Tu sais, je suis sûre que je vais finir avec des jumeaux. Ma famille en est pleine. Mère célibataire avec jumeaux : quel attelage. »

Le bar autour de nous est bourré et commence à tanguer comme un vaisseau. C'est le moment de la soirée où l'Alderman prend le large. Après avoir prêté l'oreille un moment, les deux hommes retournent à leur conversation :

« Des enfants ont été tués par des téléviseurs tombés des murs où ils étaient fixés », dit Raymond Carver, avant que son visage ne sombre dans une expression comique de désarroi.

Il lance un coup d'œil inquiet à Cormac McCarthy et pointe son menton en direction de Bernice, comme s'il craignait d'avoir commis une gaffe à proximité d'une femme quasiment enceinte.

Il semble le genre d'hommes à marcher à pas feutrés autour des femmes, de peur d'effacer un sourire de leur visage ou de leur causer un seul soupir, vivant dans la crainte de porter atteinte à leurs mystérieuses émotions. Il pourrait bien lire Jane Austen avec un plaisir coupable durant son temps libre. J'imagine une femme lui offrant de « baiser », et le pauvre Carver, après lui avoir laborieusement ôté ses vêtements, l'aider même à les remettre après. Puis, après son départ, s'asseoir, à présent seul sur le lit, et contempler ses propres paumes avec une sorte d'effroi. Son ami secoue la tête d'un air rassurant.

« Tu as lu ça en revenant du travail ? »

« Ouais, répond Carver en hochant la tête, rien ne rapproche l'archéologie du présent. »

On dirait deux cow-boys, assis sur leurs selles devant une gare de chemin de fer, le regard fixé sur l'espace entre les oreilles de leurs chevaux – chacun suivant son train de pensées.

Bernice, comme si leurs mots avaient finalement pénétré son cortex, se retourne d'un bloc et se retrouve nez à nez avec eux.

« C'est vrai ? Combien d'enfants ont été tués ? »

Ils se figent, puis, dès qu'ils l'ont eu regardée pour de bon, ils ont la même réaction – leurs sourires s'élargissent malgré eux.

« Deux, je crois, en moins de deux mois, en Australie occidentale. »

Bernice rebondit sur son tabouret.

« Mais ça fait un par mois, ça ! »

Ils hochent la tête en tandem, deux pénitents accommodants. Bientôt elle sait leur métier, d'où ils viennent et ce qu'ils font à Melbourne. Ils nous invitent à prendre un verre, Sarah y compris, qui me jette un de ses regards indéchiffrables en nous versant à boire. Elle ne consomme jamais quand elle est derrière le bar.

Ce sont des archéologues, ils travaillent au CBD. Ils sont missionnés quand des excavations sont faites pour les fondations d'un nouvel immeuble. Bientôt nous parlons tous ensemble, comme si l'archéologie rapprochait les os de nos coudes. Sarah se penche en avant :

« Comme c'est intéressant, on imagine toujours des ossements aborigènes, déterrés pour rivaliser avec l'Afrique sur qui a l'ADN le plus vieux du monde. Trouver des vestiges de l'âge du jazz semble un peu léger en comparaison. »

À leur honneur, les deux hommes prennent ça sans sourciller, acquiesçant de la tête avec une sorte d'humilité. Pas le moindre complexe à l'horizon. Je sens ma sympathie grandir. Raymond Carver frotte son menton glabre avec le talon de sa main.

« Oui... On peut le voir comme ça. Mais c'est plutôt une histoire de culture que d'ADN. La mémoire et la culture – ce dont rêvent les Australiens. Et pourtant nous en avons tant. Vous ne pouvez pas savoir les histoires que nous déterrons. »

Les yeux de Bernice s'allument. Elle est titulaire d'une thèse d'histoire. Raymond Carver s'appelle Harry. Il a un terrain à deux, trois heures de Melbourne avec une caravane où il va passer les week-ends, et il loue un pied-à-terre dans le centre avec son ami. Ils cherchent quelque chose de plus paisible, parce que travailler au milieu de la *city* est suffisamment bruyant. Cormac, quant à lui, porte le nom moins courant de Francis, parce que sa mère était une inconditionnelle de saint François d'Assise, bien qu'elle n'ait pas été catholique. Elle avait lu les *Fioretti* et connaissait l'histoire de sa vie sur le bout des doigts.

« Je n'ai jamais compris pourquoi, ajoute-t-il, – elle était une athée convaincue –, mais il y avait là quelque chose qui l'attirait. Peut-être était-ce le fait que les animaux impressionnaient l'homme d'Assise plus que les évêques... Elle a été tuée dans le bush par la chute d'une branche. Elle avait planté sa tente sous un vieil arbre pendant une tempête. Ce n'était pas son style, elle savait ce qu'elle faisait dans le bush et ne s'y serait jamais aventurée le nez en l'air. Son corps a été retrouvé plusieurs semaines plus tard – méconnaissable. Des animaux avaient... »

Il s'arrête, le visage soudain envahi d'un fard. Son ami Harry le regarde fixement.

« Tu ne m'avais jamais raconté ça. »

Le fard s'accentue.

« Non, je... D'habitude, je n'en... »

Beaucoup de vérités sont énoncées dans le cloître du bar. Peut-être que les choses que nous disons quand nous buvons, quand nous relâchons notre attention, ont quelque chose de sacré. Cela explique la ressemblance des sièges en bois que Sarah a choisis avec des bancs d'église.

Bernice, comme d'habitude, nous sauve la mise. Elle se redresse sur ses coudes, accrochée des deux mains à son verre.

« Eh bien, moi, je pense qu'elle a eu une mort magnifique. J'adorerais partir d'un coup quand mon heure sera venue. »

Le visage de Francis reprend sa couleur normale.

« Oui, ils m'ont dit qu'elle n'avait pas souffert, qu'elle n'avait probablement même pas réalisé ce qui lui arrivait. »

Quand on n'est pas en deuil soi-même, un commentaire sur la mort de quelqu'un peut être une telle intrusion. Et pourtant c'est le piège que Bernice a évité en un tour de main.

Les yeux de Francis sont sur Bernice comme si elle risquait de fondre ou de disparaître s'il la quittait des yeux. J'ai remarqué qu'Harry se comportait de la même manière. Ils ne sont peut-être pas frères, mais ils semblent avoir les mêmes goûts. Bernice est en pleine forme ; on la croirait dans son émission de radio. Solaire, naturelle, elle n'est plus empêtrée dans l'angoisse victorienne de ses rendez-vous amoureux ratés.

Après ça, nous sommes tous les cinq en croisière, comme si la mère de Francis nous avait donné sa bénédiction. Et, une heure plus tard, ce n'est ni Sarah ni moi qui raccompagnons une Bernice légèrement instable chez elle.

9

Bea

SELON LES ÉTHOLOGUES, les chiens et les bébés peuvent lire nos intentions, c'est pourquoi ils semblent comprendre les mots dénués de sens que nous leur disons. Quant à moi, le silence actuel dans la camionnette de Kim me semble de mauvais augure. Je regarde autour de moi pour essayer de me raisonner – tout est comme d'habitude. Cela ne doit pas être trop grave. Depuis la mort de Jill Meagher, c'est facile de mettre ses peurs en perspective.

Je lance un regard vers Mitali. Vue de dos, la nuque mince surmontant son t-shirt pourrait être celle d'un enfant. Elle a immédiatement compris l'importance de Jill Meagher. Nous partageons tous secrètement une part du ressentiment du meurtrier et une part de la vulnérabilité de la victime. Mitali est la seule à l'exprimer ouvertement. Des croyances émergent probablement à la suite de ce genre d'événements. Une mort que les gens continuent à porter, qui ne peut être mise en repos, une injustice qui éveille de nouveaux sentiers de connaissance et une autre forme de conscience. En tant que musicien, Jack a saisi que l'impulsion religieuse ne se cantonnait pas aux églises. Il m'a un jour expliqué qu'il se demandait si les visions d'Elvis Presley dans les fast-foods n'étaient pas de même nature que celle de Jésus sur la route d'Emmaüs.

Puis je cesse de regarder la nuque de Mitali et j'écoute sa conversation avec Kim. Je sais qu'elle s'est querellée avec Ian à la façon dont elle s'exprime. Elle lance des anecdotes sexuelles en l'air, avec un petit rire amer.

« La semaine dernière, on a fait l'amour dans les bois contre le tronc d'un énorme *ghost gum*. Le dos de mon nouveau pull était tout déchiré. Il choisit les endroits les plus étranges. Une autre fois, en sortant d'un pub à la campagne, nous avons trébuché sur un manège au milieu de la nuit. Je peux te dire, avant de savoir ce qui m'arrivait, j'avais un orgasme, avec un élan orange dans mon cou et une girafe bleue reluquant par-dessus mon épaule. »

Kim s'esclaffe, sans offrir ses propres anecdotes en échange. Certaines personnes ont le don de parler de leurs mécanismes intimes avec le même ton qu'ils prendraient pour parler de leur tondeuse à gazon ou de leur grille-pain électrique. Les pièges du vulgaire, du ridicule, du grossier, de l'absence de sensibilité, ou la simple peur de s'exposer, terrifient la plupart des autres mortels. La douleur a brûlé tout cela en Mitali, au chalumeau. Dans sa trousse de survie, la colère est toujours là, sous la surface. Elle en a besoin à portée de main – tout lui rappelle la mort de son frère. Un jour, Mitali m'a confié avec un gloussement cruel : « Ian et moi, nous avons le sexe *tragique*. » Petit à petit je comprends que c'est au sens littéral : Ian est en prise directe sur sa perte, il en attise même le feu – car c'est sans doute la meilleure manière d'approcher Mitali.

La camionnette accélère sur Brunswick Street et Kim conduit d'une main experte. Son changement de vitesse semble soulever la route comme si elle la chevauchait. Je me détends dans les sacs d'engrais et j'ai la sensation, sans voir le visage de Mitali, que nous observons exactement la même étendue de ciel, comme deux personnes qui se tiendraient à la même fenêtre. Maintenant, Kim a allumé la radio. Une voix féminine parle de l'épidémie de grippe de 1918 : *Elle a tué plus de membres actifs de la population que la guerre elle-même. Cependant, nous nous souvenons bien davantage de la boue des tranchées que de cette terrible épidémie.*

C'est peut-être pour ça que nous sommes tous obsédés par Jill Meagher plutôt que par des tragédies transparentes comme les tremblements de terre ou les tsunamis dans lesquels, malgré le nombre de morts, aucune question morale n'est en jeu.

Les propos de la femme me viennent par bribes : *Ceux qui avaient un système immunitaire faible, comme les vieillards, les femmes et les enfants, ont survécu.*

Kim murmure :

« Une sorte de karma – seuls les potentiels porteurs d'armes ont succombé. »

Elle aurait survécu, avec un faible *ou* un fort système immunitaire, disent ses yeux décidés dans le rétroviseur.

Je préfère penser à l'épidémie de grippe de 1918, plutôt que de réfléchir à ce qui m'entoure cette après-midi, comme si l'électricité s'accumulait dans un ciel sans méfiance.

En dépit de la conduite énergique de Kim, rien ne bringuebale. Chaque balai, chaque râteau et chaque paire de cisailles est à sa place. Même Mitali ne tente jamais de ranger la camionnette et, une fois la tâche accomplie, tend les outils à Kim comme une infirmière à un chirurgien. L'émission de radio est terminée. Mitali et Kim bavardent à nouveau. Ceci est inhabituel – nous restons souvent silencieuses sur la dernière partie du chemin vers un travail, comme si les jardins, pour se laisser approcher, nécessitaient de la concentration ou une sorte de prière végétale. Au lieu de me laisser bercer par les allées et venues de leurs phrases, je n'entends que leurs pauses, légèrement inquiétantes. Quand Kim se met à ralentir pour chercher une place, j'évite de demander : « Est-ce qu'il y a quelque chose qui ne va pas ? » J'attends comme une autruche, la tête enfoncée dans le terreau, en espérant que ce que je pressens me sera épargné.

J'adore sauter de la camionnette quand nous arrivons dans les jardins. Nous sommes une troupe atterrissant sur une plage. Selon un accord tacite, Kim ne m'explique jamais ce qu'il y a à faire, mais donne l'ordre de marche à Mitali. Maintenant que Kim et moi avons accepté notre piètre mode de communication, notre sympathie mutuelle semble avoir les coudées franches.

Nous sommes prêtes. Cette fois-ci le jardin a quelque chose de japonais et sa beauté est une surprise.

« Les propriétaires sont japonais ? » je demande.

« Non, c'est une femme âgée », dit Kim.

« Elle est sympathique ? »

D'habitude Kim ne répond pas à ce genre de frivolités, mais, à ma grande surprise, elle sourit et pose sa main sur mon épaule.

« Elle l'est. »

Je commence à travailler en me demandant toujours ce qui se passe : aujourd'hui les tâches les plus rudes semblent m'être épargnées.

La journée finit par reprendre son fil habituel. Mitali et moi sommes agenouillées l'une à côté de l'autre et Kim élague un arbre, appelée à de plus hautes besognes par ses longs bras et ses longues jambes.

« Tu es déjà venue ici ? » je demande à Mitali.

Elle hoche la tête et regarde derrière son épaule comme si quelqu'un allait surgir d'un moment à l'autre.

« Oui. La propriétaire vaut le détour. Bordel, elle est un peu comme un jardin à elle toute seule. »

Je regarde aussi autour de moi. Tout semble être à la fois intime et universel : la maison accroupie dans l'ombre ; dans un angle, le grand arbre pétri de sagesse qui supervise nos activités lilliputiennes ; les méandres du chemin qui vous amènent toujours quelque part ; les herbes aromatiques et les fleurs qui se définissent les unes et les autres tout en se réunissant par moments ; les poubelles derrière une rangée asymétrique de bambous, que l'on ne penserait jamais à appeler une haie ; le banc gris, si simple qu'il semble avoir poussé là.

Un peu plus tard, alors que j'arrache les mauvaises herbes près des poubelles, une femme d'environ soixante-dix ans m'interpelle.

« Bonjour, je suis Bea. »

Ses yeux gris-bleu me sourient du haut d'une échelle – c'est comme si je l'avais fait apparaître en contemplant son jardin. Elle est en train d'attacher une plante à la palissade. Je tends ma main vers elle avec un geste qui me rappelle celui du Ravi, le santon de Provence. Elle l'attrape et retombe sur ses pieds. Mitali et Kim se sont évaporées. Je peux encore les entendre, mais leurs voix sont avalées par la lumière du soleil. L'inconnue et moi sommes tout à fait seules, dans un autre temps.

« Je sais que vous devriez être en train de travailler, mais vous ne voulez pas vous asseoir ? »

« Mais que dira la propriétaire ? »

Bea sourit.

« Oh, on peut l'oublier, celle-là. »

Je m'assois. Deux papillons passent et repassent sous nos yeux, se posant sur une fleur, puis sur une feuille, enivrés de soleil.

« Il faut attendre que leurs ailes soient fermées, et là, on peut les prendre sans leur faire le moindre mal », explique-t-elle, avant d'ajouter après un silence : « J'ai vu beaucoup de papillons à Londres, pendant la guerre. C'était comme si la nature savait ce qui se passait, comme si elle essayait de rétablir une sorte d'équilibre. »

La guerre, pour l'enfant Bea, c'était avant tout un manque de papier toilette. Elle se souvient des Américains distribuant des milliers de rouleaux aux Londoniens. Je remarque ses vêtements. Ils ont leur propre saison. Puis le chien du voisin se faufile sous la palissade. Elle me le présente.

« Voici Larry », dit-elle en lui caressant la tête.

Elle revient tout juste d'un voyage à Langkawi, un archipel à côté de la Malaisie. Elle y a rencontré une famille musulmane, dont les femmes, voilées, ont interrompu leurs exercices de Pilates sur la plage pour lui faire de grands signes. Bea a forgé avec elles des amitiés inattendues. Puis, sans prévenir, elle vire vers un sujet plus personnel.

« J'avais un mari malais autrefois. » Elle sourit tranquillement. « C'était un ivrogne. Il disparaissait des nuits entières et réapparaissait le lendemain matin, pâle, défait, mais calme aussi, presque posé. Il avait besoin de fuir sa propre tête. Il n'y avait pas d'autre moyen, me disait-il, et il ne pouvait pas s'en expliquer davantage. »

Elle fronce les sourcils pensivement.

« Il rentrait et je lui disais bonjour ou bonsoir, selon. Ça n'aurait servi à rien de lui faire le moindre reproche. À part ça, tout fonctionnait entre nous. Nous nous entendions au lit, nous entendions hors du lit — nous nous entendions à vivre ensemble. Mais, même si j'aime boire un verre de vin, son alcoolisme a fini par me vaincre. C'était comme d'avoir la variante inoffensive du python, le serpent de jardin, vivant sous la maison dans le vide sanitaire, savoir que *c'était là, tout le temps*, qu'il boive ou qu'il ne boive pas. »

La calme maîtrise de son histoire, de sa vie, habite son regard, qui croise le mien de temps en temps.

« Puis, quand je l'ai finalement quitté, nous avons tous les deux pleuré. Quelques années plus tard, vivant tout à fait seul, il a cessé de boire. Il m'a demandé si je voulais revenir, mais j'en avais déjà épousé un autre. »

L'histoire de Bea ressemble à son jardin, à certains livres aussi, qui vous entraînent vers la sérénité malgré vous. Leurs mots, comme ceux de Bea, parlent au-delà de leur sens immédiat.

« Vous aimez le jardinage ? » me demande-t-elle.

Je hoche la tête.

« Oui. Mais chaque jardin est différent et provoque en nous une réaction différente. J'imagine que les hommes doivent ressentir la même chose envers les femmes. »

Le regard gris-bleu se pose sur moi.

« Et les femmes ? Considèrent-elles les hommes de cette façon ? »

Je secoue la tête.

« Oh, non. »

Elle lève un sourcil.

« Non ? »

Je lui souris.

« Les hommes ne sont pas des jardins, seules les femmes le sont. »

« Ah, je vois. »

Je jette un œil aux alentours en quête de deux dos penchés. Bea lève l'autre sourcil.

« Vous avez une religion ? »

Je lui souris encore avant de me lever.

« Non, simplement un complexe de culpabilité. »

Je lui fais un signe de la main et, tandis que je rejoins un parterre pour essayer de rattraper le temps perdu, son rire me suit. Kim me fait un clin d'œil. Tout ça est vaguement déstabilisant.

Une heure plus tard, je suis à nouveau dans un nuage vert, à la tâche. Enfin, quand la dernière allée est balayée, j'essaye d'apercevoir Bea, mais elle a disparu. Nous ramassons nos outils dans le crépuscule déclinant. Ce sont presque de vieux amis. Ma main a appris leurs formes maintenant et je les reconnais à l'usure de leurs manches. Puis nous nous tenons aux côtés de Kim pendant qu'elle charge son véhicule.

Le ciel, là-haut, avec ses blessures pourpres et ses plaies orange, ressemble à un parterre sanglant. Dans la camionnette, le soleil couchant badigeonne encore nos visages. Je pense au mari malais de Bea rentrant dans la lumière de l'aube. J'imagine Bea attendant dans sa chemise de nuit, avec la lune derrière la fenêtre. Nous prenons nos aises sur les sièges. Maintenant que les sacs de terreau et d'engrais ont diminué de volume, il y a plus de place. Le moteur s'éveille avec un grondement familier.

Après nous avoir dit de la retrouver plus tôt le lendemain, Kim nous dépose devant chez Mitali. Ian est à la barrière de leur jardin. À nouveau, cela sort de l'ordinaire. Il fait des gestes de bienvenue, à la manière des amis musulmans de Bea sur la plage de Langkawi, et, tout comme Bea, je me demande s'il s'adresse à moi. Mitali n'a sûrement pas besoin d'être accueillie à grands gestes dans sa propre maison.

Nous sommes là, debout sur le trottoir. Kim nous fait elle aussi un signe de la main en redémarrant – un pilote qui redécolle vers l'action, incertain de vous revoir un jour. Quand sa camionnette a disparu, nous regardons toutes les deux l'espace vide créé par son départ. Mitali me prend par le bras.

« Viens, allons voir ce que veut Ian. »

Alors que nous nous avançons, un sentiment de malaise m'envahit à nouveau. Quelque chose me glisse entre les doigts comme si le temps coulait à côté de moi sans m'inclure dans son courant. Ian avance à notre rencontre sur le trottoir.

« Pourquoi ne dînerais-tu pas avec nous ? Tout est déjà prêt. »

Je cligne des yeux.

« Non, merci. J'ai besoin d'une douche. Je crois que je vais rentrer chez moi et j'irai faire un tour au bar de Sarah un peu plus tard. »

Ils échangent un regard. Puis Ian a un mouvement du menton en direction de Mitali :

« S'il te plaît, viens, je t'expliquerai. »

Je cède.

« Je vais juste prendre une douche et je suis de retour dans cinq minutes. »

Il me regarde fixement.

« Promis ? »

Qu'est-ce que je peux dire d'autre ?

« Promis. »

Cette journée est un grand point d'interrogation. Une fois chez moi, je saute dans ma salle de bains et je laisse l'eau tout emporter. Puis je reprends le même chemin en sens inverse, me sentant un peu tendue pour une soirée tranquille entre voisins. Ian est plus bavard que d'ordinaire. Il vient de finir sa thèse sur Kawabata et Tchekhov. Son étude est plus amoureuse qu'universitaire. Il ne connaît pas seulement leurs vies et leurs œuvres sur le bout des doigts, il semble aussi respirer l'air qui était dans leurs poumons. En retour, ils infusent en lui des steppes sibériennes, des vieilles gares de chemin de fer russes, et des lacs japonais entourés de beaux arbres torturés.

Je ne demande pas, et Ian ne m'explique pas, pourquoi ils étaient si décidés à me garder pour dîner. C'est la première fois. D'habitude, je m'attarde plutôt pour une tasse de thé ou un verre – toujours au dernier moment. Quand je les quitte enfin, la lune est basse, obèse, d'un blanc bleuté. Ils me retiennent à la barrière du jardin et proposent même de me raccompagner à pied, mais je secoue la tête en leur faisant un signe d'adieu. La sécurité préoccupe encore Brunswick.

En tournant au coin de la rue, j'entends des pas derrière moi. C'est la femme que nous avons vue avec Sarah, dont la fille s'est suicidée. Elle prend le virage au ralenti, comme si elle labourait le trottoir, avec cette immense patience, cet immense désespoir du paysan labourant encore son champ après le coucher du soleil. Un drugstore 7-Eleven, tenu par un Indien qui regrette Delhi, est aussi sur mon chemin. Franchement miteux en plein jour, il reste ouvert 24h/24. La nuit, les couleurs de ses étalages deviennent moirées, exotiques, et son ambiance a quelque chose de la ferveur détachée d'un aéroport.

Puis, sans y penser, je me retrouve dans l'atmosphère familière de l'Alderman. Mais ce n'est pas le soir de Sarah. Une amie qui travaille pour elle la remplace. Elle a des cheveux blonds et des traits décidés, un peu comme une championne de tennis. Un homme dégingandé est accoudé au bar en train de lui parler.

C'est Jack.

Debout sur le seuil sans parvenir à bouger ni à penser, je ne suis plus qu'un corps, envahi par un sentiment d'*erreur*. Il se retourne et cela lui prend deux, trois secondes pour enregistrer ma présence. Là, il sourit, et tend une main vers moi en un geste de bienvenue.

« Eh, comment vas-tu ? »

Les mots sont si irréels, si calmes dans leur troublante politesse qu'ils lacèrent l'air autour de moi. Il me tapote même légèrement le dos. Mon sourire aveugle grimace une réponse. Je m'avance vers le bar, davantage pour me tenir à quelque chose. L'amie de Sarah me propose une boisson. Je secoue la tête et la remercie. Jack insiste.

« S'il te plaît, prends un verre. J'aurais dû t'appeler, mais je n'étais là que pour deux jours, alors j'ai pensé que ce serait plus facile d'aller à l'hôtel. »

Il était à Melbourne pour deux jours se trace en lettres de feu dans mon esprit. Tout s'éclaircit : Mitali, Ian, Kim, tentaient tous de me tenir à distance – me tenir à distance de Jack. Je me sens gelée et calme, comme si une bombe venait d'exploser et que je me retrouvais encore vivante au milieu des décombres.

« Bien sûr, Jack », dis-je à son apparition, à son mirage.

Il n'y a rien d'autre à faire que de rester quelques minutes, et s'en aller.

10

AIREYS INLET

DERRIÈRE LA VITRE de la voiture de Sarah, la mer, le long de la Great Ocean Road, est une présence sauvage. Même en été, l'océan ne se prosterne pas devant les chairs nues des plages – il n'y en a pas suffisamment –, mais préside d'un air de défi, s'imposant au ciel et à la terre pour s'arroger la pleine propriété de son continent.

Je suis à nouveau dans la voiture tout-terrain de Sarah. Mary est assise à côté d'elle. Les yeux de Sarah ont une sombre étincelle, comme si nous allions cambrioler une banque. Ses jeans et son pull noirs confirment son air de monte-en-l'air.

Elles m'ont appelée ce dimanche matin pour me proposer une balade, et elles étaient garées devant ma porte dix minutes plus tard. Mary, assise avec ses voiles à l'avant, m'a fait un petit signe désuet de la main. On aurait dit la reine d'Angleterre en burqa. J'ai grimpé à bord, elles ont levé la paume pour frapper la mienne avant de démarrer, un geste auquel j'ai répondu maladroitement. Puis, nous sommes parties – Melbourne a fondu derrière nous.

J'ai peut-être tort, mais quelque chose semble avoir changé entre elles. Même si elles ne se parlent pas, comme au retour de l'aéroport, leur silence est plus amical. Je n'arrive pas à définir davantage la différence, mais elle est là. Je me détends dans ma parka et mes bottes en caoutchouc, et j'observe l'intérieur de la voiture de Sarah. La couleur des sièges est un brun tourbeux, il y a quelques exemplaires du journal *The Age* sur le sol. Un plan Melways est fourré dans la poche kangourou distendue derrière le siège de Mary, qui a contenu plus que sa ration de thermos, de bouteilles de vin et de livres. Je me concentre sur toutes ces informations, aussi mineures soient-elles, comme si, à nouveau, je me retrouvais en pays étranger. Le cendrier béant est propre comme un sou neuf. Plus rude encore que la conduite de Sarah, le vent s'est levé, un lion se déchaînant au sein des nuages. Cela nous fait tanguer légèrement. Même si Kim est hardie avec les changements de vitesses et le volant, l'expérience est avec elle moins mouvementée. Tout passager de Sarah se trouve emporté, kidnappé loin de ses pensées et de ses désirs. Mary glisse un CD des Easybeats dans le lecteur : *Friday on My Mind* résonne. Soudain, bien que ce soit déjà dimanche, il y a un grand sourire dans l'air. Personne sur les deux sièges avant ne dispense de regards de commisération dans ma direction. Une camaraderie tendue nous saisit. Nous sommes toutes les trois en train de quitter les lieux du crime, il n'y a pas de temps pour les palabres.

Après deux heures sur une route qui se fond dans les nuages, nous arrivons à une plage plus petite et plus sauvage, Aireys Inlet, au-delà d'Anglesea. Kim ralentit et se gare. Mary éteint la musique. Nous restons assises là. Un silence liquide – le négatif de la mer au-dehors – coule dans nos veines. Quand nous ouvrons les portières pour sortir, le vent se jette sur nous et mord nos vêtements. Nous dégringolons vers le sable et commençons à marcher le long des vagues.

Mary a maintenant un travail. L'argent rentre, et les gens du *Monthly Magazine* sont sympathiques. La mise en page, nous dit-elle, c'est son truc. Elle plane d'abord un moment avant de savoir où placer l'image, puis la décision éclair survient, qui peut tout illuminer ou tout occire. Pour elle, c'est une sorte de « magie zen ». D'après Mary, le travail est alors terminé, à part des bricoles – même si ces bricoles prennent un temps fou. Les gens lâchent souvent d'énormes pans de leur vie sur la plage. Le vent déchire le reste, ce qui nous encombre, les meubles Ikea, la facture de téléphone, la peur d'échouer dans notre travail. *Qu'importe !* hurle l'océan.

À ce moment-là, une soudaine bourrasque fait gonfler le voile de Mary et l'arrache presque de son visage. Je vois sa main jaillir pour l'arrimer à sa place – un geste de noyé se cramponnant à son radeau. Sa burqa revient au premier plan dans mon esprit. Elle commençait à se souder à Mary, à faire partie de son rire, de ses gestes, du balancement bleu de sa démarche. Je ne cherchais même plus ses raisons de s'affubler de la sorte – trop occupée à apprécier sa personnalité.

Se tenant à carreau, Sarah regarde droit devant elle. Je suis sûre qu'elle a remarqué le geste désespéré pour retenir le voile – son intérêt pour la burqa de sa fille ne tarit jamais ; son attention est toujours là, tendue, éveillée, et presque humble. Mary, quant à elle, continue de marcher contre le vent, détachée du geste compulsif qui l'a trahie. Puis l'incident s'envole, l'océan est le plus fort. La nouvelle bonhomie entre la mère et la fille retrouve sa vitesse de croisière.

Mes pensées lancinantes autour de Jack ignorent le vent et la présence de l'océan, comme si j'étais dans une chambre close. Elles me lient à ces deux femmes encore davantage. Elles en savent long sur la douleur. Nos pas se mêlent en un crissement synchrone. Leur mère et grand-mère les a élevées ainsi – en écho à la douleur irlandaise, aussi ancienne que les collines, aussi vieille que la faim.

« Comment va Helen ? » je demande.

La mère et la fille échangent un regard. Puis Sarah sourit au vent, rejetant la tête en arrière, le menton vers le ciel.

« Elle connaît peut-être un dernier élan de vigueur, une rémission – ou elle a simplement repris le chemin d'une vigoureuse vieillesse. »

Un rire échappe à Mary :

« J'ai aussi l'impression qu'elle va bien mieux. Elle est de nouveau partie dans un délire ascétique. »

Quelque chose dans l'état d'Helen leur paraît d'une exquise drôlerie. Peut-être est-ce la raison de leur « entente cordiale » – une responsabilité allégée, une hantise soulagée. L'emprise d'Helen semble tenir de la tragédie grecque – telle une malédiction, une croyance, une sorte de pacte inconscient avec une nature qui ne permet ni la rébellion ni la docilité. D'une certaine manière, le fait qu'elle les ait élevées toutes les deux fait d'elles des sœurs. Le fardeau a sauté une génération et s'est réparti uniformément sur elles deux. Mary prend de grandes gorgées d'air marin ; ses épaules se lèvent à chaque respiration. Je comprends Sarah, soudain, j'ai, moi aussi, envie de voir son jeune visage dévoilé et détendu.

« J'ai rêvé de mon père hier soir », annonce Mary presque nonchalamment. « Il semblait en pleine forme – *dans le rêve.* »

Je ne sais absolument pas si cet homme est mort ou vivant. Il est *terra incognita.* Sarah continue à marcher pensivement, puis tourne la tête vers moi. Pendant un moment elle bégaye comme un télégraphe, puis je réalise que ses paroles sont morcelées par une rafale de vent.

« Il y a trois étés, le père de Mary a traversé en voiture les Flinders Ranges, en Australie du Sud, jusqu'à Marree, la dernière ville au bout de la route, et il a disparu. Ils ont retrouvé sa bagnole aux portes du désert. Nous avions divorcé deux ans plus tôt. »

Mary balance la tête en arrière.

« C'était dur pour toi aussi, *Mum* – à l'époque. »

Parce qu'elle ne l'appelle que rarement ainsi, le terme est étonnamment tendre.

Sarah garde les yeux fixés devant elle, et les mots qui suivent semblent sortir de sa bouche de leur propre chef.

« Je ne sais vraiment pas pourquoi je n'ai jamais réussi à t'en parler. Je me sentais coupable, sans doute. Mais nous nous étions disputés lui et moi juste avant son départ... »

Pendant un moment il n'y a que le crissement de nos pas. Ce bruit prend la place de la conversation, comme si nous avions soudain du sable dans les veines. La réaction de Mary finit par venir.

« Effectivement, tu ne m'as jamais dit ça. »

Tournant la tête de droite à gauche, je sens ma présence servir un peu plus de tampon à chaque seconde qui passe. Puis Mary ajoute :

« Mais, vous étiez divorcés depuis deux ans. »

Sarah marche encore un peu, avant d'avouer :

« Ouais, mais on avait changé d'avis. »

Le vent se déchaîne encore davantage, mais c'est peut-être mon imagination. Je sens qu'elles me regardent tour à tour, comme si je pouvais faire quelque chose, comme si le témoin choisi avait une sorte de pouvoir immanent, transparent, bénéfique, qui se diffuserait tel un parfum, et dont l'influence même lui serait étrangère. Bien sûr, j'ai beau fouiller dans ma tête, aucune parole consolante ne me vient à l'esprit... Je regarde les nuages, telles de lourdes caravelles, emporter nos réponses au-dessus de la mer. Les nuages semblent toujours avoir une destination. J'ai connu un homme qui aimait les regarder, dans les derniers mois de sa vie. Il est mort soudainement à quatre-vingt-dix ans. Un matin, alors qu'il était en parfaite santé, il a déclaré : « Je vais mourir ce soir », et il a poursuivi le cours normal de sa journée. Le crépuscule venu, il agonisait. Je continue à marcher vers les nuages. Je ne regarde pas Sarah et Mary, que je ne peux pas aider, et je ne pense ni à hier soir, ni à demain matin. Chaque pas m'éloigne physiquement de leur silence – et de Jack.

Bientôt, nous atteignons une crique, à peine un recoin rocheux où la plage se calfeutre. Un mur de grosses pierres se brise sur le sable, comme si la paysagiste Edna Walling les avait poussées pour les laisser choir en un de ses gestes qui honorent le hasard. Il y a un petit café de l'autre côté du chemin. Juste avant que nous puissions traverser, un homme en bicyclette apparaît. Il porte une casquette, un pantalon à rayures, un t-shirt d'une blancheur de papier, et nous fait un geste triomphant de la main. Il me rappelle un personnage dans un film de Jiří Menzel – digne, ridicule et tendre. Ses coups de pédales enthousiastes nous portent à la bonne humeur. Il disparaît au bout de la rue, un bras levé en l'air, un fanion de joie et de confiance en ce jour qui nous attend encore.

Sans nous consulter, nous marchons vers le café d'un même pas et commandons du café et des gâteaux. Ils sont sans gluten, kaki et noisette, amande et fraise, citron et figue, noix et brocoli – un arpège, une palette de combinaisons : des gâteaux pour Oui-Oui et Potiron ou Harpo et Groucho, des gâteaux pour les âmes perdues, des gâteaux pour vous et pour moi. Il me semble que je peux presque *voir* le sourire de Mary à travers le bleu, à travers les révélations sur la plage, à travers le vent, les nuages et le désert où son père a disparu.

Nous prenons une table. Nos genoux s'effleurent sans se toucher tout à fait comme si nous étions sur le point de consulter les esprits dans une séance de spiritisme. Un garçon d'à peu près onze ans nous apporte nos gâteaux avec un silence empreint de dignité. Sa chemise lui sort du pantalon, ses ongles sont noirs et son haleine a la faible acidité des pommes séchant au grenier en automne. Sous la casquette de son équipe de football, Collingwood, son attention est rivée sur la burqa de Mary avec le culot angélique d'un petit Lord Fauntleroy. Il nous fait nos cafés avec maestria et, rempli d'une condescendance digne de Jeeves, le valet de P.G. Wodehouse, les pose devant nous avant de s'évaporer dans les profondeurs ancillaires – non sans avoir lancé un dernier coup d'œil au voile bleu de Mary.

La dernière fois que nous avons été ensemble dans un café me revient. Nous sommes à présent seules dans un coin de la pièce, à côté de la fenêtre en saillie et sa lumière océane. Plutôt que des minutes et des heures ordinaires, un voyage dans le temps semble nous avoir amenées dans ce lieu. Il n'y a personne au comptoir mais, au moment où je m'en rends compte, une femme apparaît derrière un rideau, grande, mince avec pour front une plage blonde. On devine qu'elle est la mère de Lord Fauntleroy. Sa beauté anguleuse n'est pas aussi spectaculaire que celle de sa progéniture, mais elle vaut le détour. Elle sourit, sans doute des approximations de son fils, et se met à nettoyer la machine à café. Ses mouvements ont sur moi un effet hypnotique et je dois faire un effort pour m'en arracher.

Même si elle peut sans doute nous entendre, il nous serait facile de parler, mais nous ne pipons pas. Une mouche bourdonne contre la vitre. Un robinet s'ouvre et se ferme, s'ouvre et se ferme.

La dernière querelle de Sarah avec le père de Mary juste avant sa disparition est toujours là, suspendue. La main de Mary tourne lentement sa cuillère dans sa tasse, je sirote mon café et joue avec mon gâteau. Sarah regarde par la fenêtre. J'essaye de penser à des chevaux en train de boire à la rivière pour me distraire de cet instant. Les chevaux sirotent aussi l'eau en l'aspirant et on ne l'entend pas passer à travers leurs grandes dents. La table en formica et les chaises aux pieds métalliques et aux sièges rembourrés et plastifiés fleurent les années soixante. Un meuble en bois pâle abrite des confitures, des chutneys, des assiettes rangées dans des fentes et des tasses suspendues à des crochets. L'abat-jour de la lampe à pied est un chapeau désuet. Toute l'atmosphère trahit l'attente.

Je regarde à nouveau la propriétaire. Ses mains essuient la machine avec une vigueur sommaire, mais sa personnalité doit changer au contact de l'eau, car elle rince son éponge rêveusement. On sent son sourire avant de le remarquer. Il y a quelque chose de triste et de compréhensif dans ses yeux. Comme beaucoup de gens du métier, elle doit être intuitive à force d'observer ses clients. Son hochement de tête infinitésimal semble dire : *Il vaut mieux ne pas s'inquiéter. Il y a des choses contre lesquelles on ne peut rien.*

C'est cet instant que Sarah choisit pour soupirer, puis, avalant une grande gorgée de café, elle regarde sa fille droit dans les yeux.

« Nous étions sur le point de nous remettre ensemble, Mary. Et nous... »

Mary pose sa cuillère dans sa sous-tasse et coupe la phrase de sa mère en plein vol :

« ... et... vous vous êtes encore disputés. »

Sarah me lance un regard éclair avant de répondre :

« Oui, nous nous sommes encore disputés à propos de mon travail. J'avais fini une sculpture et je voulais qu'il m'aide à la transporter, mais ton père refusait. »

Une ombre traverse ses yeux verts et j'attends sa prochaine respiration.

« Il voulait que nous allions dans le désert ensemble. Mais j'avais cette exposition, tu vois. Vraiment, tout ce que je demandais, c'était qu'il attende une semaine et qu'il me donne un coup de main. Mais il a refusé. Il a dit qu'il avait besoin que je le choisisse – *lui* – juste une fois, juste *cette* fois. »

Elle plonge son regard dans ses paumes.

« Et je ne l'ai pas fait. »

La femme derrière le comptoir la dévisage, nous la dévisageons toutes.

11

Le « Commentaire insolite »

Je connais un garçon appelé Lewis, qui lit le « Commentaire insolite » dans le journal *The Age* tous les jours. Il a quatorze ans, et son regard vous traverse quand il vous parle. Il est avare de mots et lent de mouvements, sauf quand il joue au tennis ou quand un sourire jaillit de son visage. Alors, ses yeux débordent d'une lumière sombre et sacrée, qui voit au-delà de ses années et des miennes, qui sait et comprend au-delà des colonnes de fumée des mots tournoyants, au-delà de tous les « bonjour, au revoir », de tous les « merci » et de tous les « comment ça va ? » que nous persistons à nous jeter les uns aux autres à longueur de journée. Je suis entourée de gens sombres et sacrés, Sarah, Mary, Mitali... Ils nagent autour de Brunswick et je suis au centre d'un de ces bancs d'étranges poissons. Quand j'en ai fait la réflexion l'autre jour à Mitali, elle a ôté une feuille de ses cheveux en disant : « Ouais, c'est ça, t'est une foutue Nemo. »

Chaque fois que je lis le « Commentaire insolite » dans *The Age*, je pense à Lewis. Il vit avec ses parents et sa sœur dans la même rue que moi, et parfois je le croise quand il revient de l'école. Il se tient toujours sans s'adosser ni s'accouder à quoi que ce soit, sans même mettre les mains dans ses poches, et me dit souvent un mot ou deux sur Jack, qui nous a tous les deux oubliés maintenant. Je ne sais pas pourquoi c'est si facile de parler de Jack avec Lewis, mais c'est le cas. Lewis est devenu une sorte de témoin pour moi – peut-être parce que nous pouvons tous les deux sentir son enfance lui échapper. Je crois que j'ai fait le pari inconscient que Jack se souviendrait de nous avant que Lewis n'oublie tout à fait son enfance. Ceci, je l'ai également avoué à Mitali dans un moment de faiblesse. Sa réaction : « Une chance que tu ne sois pas religieuse, tu prendrais tout le monde pour un foutu Bodhisattva. » Il y a quelque chose dans son langage qui, bordel, vous libère de vous-même.

C'est l'heure de pointe au bar de Sarah. Mary et moi sommes toutes les deux assises sur les bancs d'un espace compartimenté, un exemplaire de *The Age* déplié sur la table entre nous. Nous lisons le « Commentaire insolite » :

Un soldat soviétique, porté disparu pendant les combats en Afghanistan, voilà trente-trois ans, a été retrouvé vivant dans la province afghane de Hérat, où il était guérisseur. Il avait adopté le costume local et la profession de l'homme qui l'avait soigné et remis sur pied.

Nous nous faisons face au-dessus du nouveau petit format du quotidien – les hommes ne peuvent plus se cacher derrière leur journal, avec cette gazette maigrichonne. Mary fait un geste de la main.

« J'ai toujours adoré les histoires de soldats japonais perdus dans la jungle, que l'on retrouve vingt ans plus tard, persuadés que la guerre dure encore. »

Elle pose son index sur le « Commentaire insolite ».

« C'est étrange de lire ça après les révélations de Sarah l'autre jour sur la plage, hein ? »

« Je saaaaaiiiiiis », je gémis.

Mary secoue la tête.

« Quand il a disparu, ça a été dur. On ne peut rien faire quand quelqu'un s'évanouit dans l'azur, ou plutôt le sable. C'est pire qu'une absence ; c'est une présence morte, une anti-présence, un trou noir. »

Elle remue aussitôt la tête comme si elle voulait ravaler ses paroles, et pose une main sur la mienne. Sans doute pense-t-elle à l'absence de Jack dans ma vie. C'est une surprise parce qu'elle n'a pas plus l'habitude que sa mère de toucher les gens. Puis elle se redresse et me fait face. Je n'arrive plus à imaginer son expression.

« Tu n'as jamais dit un mot sur ma burqa. Merci pour ça. Tu ne peux pas savoir quel soulagement c'est pour moi. On me casse les pieds en permanence avec mon voile. Je n'ai aucun désir de m'en expliquer à qui que ce soit. C'est un fait. Et cela ne risque pas de changer. »

Sa voix se durcit d'une octave. Mary est un mystère vivant à l'extrémité de mon bon sens. Je ne sais même pas pourquoi cela me préoccupe autant. Je ne la connais pas depuis si longtemps. Peut-être qu'elle s'est mise à représenter tout ce qui m'échappe, tout ce que je ne comprends pas. Il m'arrive de rêver d'elle. Maintenant, je mets sa burqa dans le même sac que ma grand-mère et la mémoire de Jack – le sac où flottent les choses sans réponse, sans soulagement possible. Elles peuvent varier en intensité, mais elles sont toutes de la même mystérieuse nature. C'est comme marcher avec une perfusion – on ne peut ni l'arracher, ni s'en éloigner. Cela doit rester là avec notre respiration, près de notre cœur.

D'où nous sommes assises, nous apercevons un morceau de Sarah, son coude ou l'oscillation de ses cheveux noirs, on dirait les détails d'un tableau. Maintenant nous voyons ses yeux tristes et rieurs rendre la monnaie de l'autre côté du bar. Mary ne donne jamais de coup de main. Tout le monde sait qu'elle est la fille de Sarah, mais sa dégaine n'est pas exactement propice à la vente de pintes de bière et de verres de vin. Sans que je réfléchisse, une question m'échappe :

« Tu n'as jamais de nouvelles de ton ex, Mary ? »

Je pourrais me donner des coups de pied, mais c'est trop tard – un ange passe avant qu'elle ne réponde :

« Si, j'en ai. Nous sommes bons amis, en fait. C'est un type plutôt correct. »

C'est si différent de ce à quoi je m'attendais que j'en bafouille presque et finis avec un boiteux : « Oh. »

Mary continue pensivement :

« Sarah ne peut pas le supporter. Elle pense que c'est un salaud. Il n'en est pas vraiment un. Il l'a été, c'est vrai, pendant un temps, du moins devant elle et quand nous essayions d'avoir un enfant. C'est ça qui a tout empoisonné. Nous en voulions un tous les deux, tu vois. Puis récemment, il a découvert qu'il ne pouvait pas en avoir non plus et il m'a téléphoné pour me le dire. *Plutôt chic de sa part*, j'ai pensé. »

Elle s'arrête et soupire à nouveau.

« Ouais, je crois qu'on sera potes maintenant. C'est drôle – au fil du temps, il aura été mon meilleur ami et mon pire ennemi. »

Un petit silence part à la dérive comme un nuage d'été.

« Il m'a vraiment sauvé la mise une fois. Je ne risque pas de l'oublier », ajoute-t-elle.

Ses yeux retombent sur le « Commentaire insolite ».

« Mon père est architecte paysagiste, tu le savais ? »

Je secoue la tête, en remarquant son usage du présent. Comment peut-on le considérer mort puisqu'il n'y a pas de cadavre ? Cela me rappelle le grand-père de Jack. Combien de temps ont-ils attendu avant de le déclarer mort ? Mary lève les mains, paumes verticales, doigts en éventail.

« Mes parents faisaient de *grands* trucs. Quand j'étais gamine, j'ai fait un dessin d'eux. Sarah l'a encore. Je leur ai donné à tous les deux des mains géantes, beaucoup plus grandes que leurs corps. À une époque, mon père a installé des jardins sur des toits et créé des espaces verts, des parcs. Il a bossé en Allemagne à plusieurs reprises. Ils adorent son travail là-bas. Quand il a disparu, ils ont mis une sorte de notice nécrologique dans *Der Spiegel*. »

Il y a une fierté tranquille dans sa voix, mais aussi un détachement « cool » que je ne peux pas tout à fait me figurer.

« Le fait qu'ils voulaient se remettre ensemble est assez étrange, non ? Sarah a dû se ronger le foie plus que je ne l'imaginais pendant ces trois dernières années. »

Elle baisse sa tête bleue.

« Je parie qu'elle regrette de ne pas être partie avec lui à présent. »

À nouveau son ton se durcit. Je lève la tête, surprise. Mary ne m'a jamais semblé avoir un caractère aigri.

Soudain sa présence bleue est debout.

« Je ferais mieux de partir. Billie m'attend à l'appartement. Nous allons acheter un four d'occase. »

Elle fait un signe de la main à Sarah, et sa burqa quitte le bar. Je reste avec le « Commentaire insolite ». Notre insolite conversation me reste dans la tête, le ton, toute l'atmosphère de notre échange me reviennent point par point. Je me demande si la mère et la fille se sont rendues au dernier lieu où leur ex-mari et père a été vu vivant – ne serait-ce que pour respirer le même air et voir le dernier paysage qu'il a contemplé.

Il m'apparaît que nous en sommes tous au même point – la femme qui arpente les rues nocturnes, se languissant de sa fille, le chat gris qui sort au crépuscule, et Sarah, et moi. Peut-être que Sarah devrait cesser d'attendre et faire quelque chose... Puis, mon esprit opère une volte-face. Pourquoi est-ce que je ne fais pas moi-même quelque chose ? Pourquoi est-ce que je ne vais pas au zoo de Werribee ? Pourquoi est-ce que je ne lève pas le voile qui enténèbre la mémoire de Jack ? Pourquoi suis-je si discrète, bordel ? Sarah sert un verre de vin blanc à un homme en costume – une rareté à Brunswick. Sa main droite dans sa poche fait tinter sa monnaie ; l'autre est courbée autour de son verre. Il se tient droit comme si sa colonne vertébrale préservait une tradition que le restant de sa personne avait totalement oubliée. Puis je reconnais en lui l'homme avec qui nous avions discuté, Sarah et moi, le soir de notre premier dîner ensemble. Je me demande s'il est toujours obsédé par Jill Meagher. Je m'avance et je m'assois à côté de lui.

« Bonsoir, bonsoir, bonsoir », dit l'homme.

Je lui tends ma main.

« Nous avons parlé il y a quelques mois dans un pub, vous vous souvenez ? »

On pourrait mettre le feu à son souffle avec la flamme d'une allumette. Son regard intelligent fait un zoom avant pour me traîner sur l'écran de son esprit.

« Ah, oui, parfaitement ! Vous n'êtes pas retournée dans votre pays finalement ? »

Je secoue la tête. Il pose une main sur mon bras.

« Je l'avais bien vue cette nuit-là, vous savez. »

Il lui semble évident que je vais immédiatement savoir à qui il fait allusion. Il a raison. Sarah se retourne et me lance un regard. Jill Meagher nous vient tous à l'esprit en même temps. Peut-être nous retrouvons-nous au même endroit sur le manège du temps.

L'homme soupire, enfonce ses mains dans ses poches et, sans plus faire tinter sa monnaie, se balance silencieusement sur ses talons.

« Cela ne lui est d'aucun secours à présent, hein ? »

« Peut-être que si. Peut-être que chaque regard a un sens, peut-être que chaque souvenir est précieux. »

Sarah me lance un nouveau regard qui dit : *Trop romantique*, et se remet à essuyer son bar. Elle a le don d'être complètement présente avec zéro participation. Il s'incline pour nous saluer toutes les deux :

« Je suis Henry. »

Sarah s'incline à son tour.

« Comment pourrions-nous l'oublier ? »

Au-dessus de son nez bulbeux, ses yeux nous sourient. Je lui fais signe pendant qu'il trébuche dehors. Sarah fait un mouvement de menton sans cesser d'essuyer :

« Il vivait avec sa mère. Elle est morte il y a cinq ans. Depuis, il boit. »

Derrière son ton télégraphique, je perçois une certaine affection. L'atmosphère est plus calme. Il n'y a personne pour le remplacer sur le tabouret à côté de moi. D'ailleurs il n'y a presque plus personne dans le bar – on s'entend respirer. La nuit presse ses doigts de velours noir sur les toits, jouant Brunswick *pianissimo*. Même les voitures qui passent épisodiquement semblent se traîner sur Lygon Street.

Je me penche en avant sur mes coudes et je lève la tête pour regarder Sarah droit dans les yeux.

« J'ai l'intention d'aller au zoo de Werribee pour voir Jack. »

Sarah attrape un verre, y verse du vin et le pousse vers moi. Sans un mot. Je persévère.

« C'est quelque chose que Mary a dit. Je... »

Sarah se verse un verre à son tour.

« Je sais ce que Mary t'a dit. Elle pense que je me ronge le foie, pas vrai ? Elle s'imagine que je regrette de ne pas avoir sauté sur l'occasion, d'avoir raté le coche. »

Mon visage me trahit. Je la dévisage. Je ne pensais pas qu'elle me donnerait un écho exact des paroles de sa fille. Elle secoue la tête.

« Mais cela ne veut pas dire qu'un pas vers Jack, maintenant, soit le bon choix pour toi. »

Elle prend nos deux verres et s'installe dans un des compartiments. Il régne dans l'air une atmosphère de désert, la ville est balayée au loin, il ne reste que le vent, une feuille de journal, ou peut-être un vieux chiffon, qui tournoie au milieu de Lygon Street déserte. Je n'entends même plus l'occasionnelle voiture – un vide avant l'heure décisive. Sarah a fait signe à son barman de prendre le contrôle des opérations. C'est un étudiant en musique, fiable, mais possédant plusieurs brins de fantaisie – un bon mélange.

Quand nous nous asseyons, une femme travaillant à Kakadu pour le département de l'Environnement, s'installe dans le compartiment d'à côté. Elle raconte à son amie qu'elle ne supporte pas la chaleur, mais qu'elle adore son travail – alors elle lit *Smilla et l'amour de la neige* de Peter Hoeg. Les voitures sont revenues, Lygon Street est à nouveau pleine de passants, et Sarah et moi ne parlons finalement ni du zoo de Werribee, ni de Jack. À la place nous restons assises là, à plaisanter sur l'incident de Merri Creek – combien nous étions trempées, et pourtant nous n'avons ni l'une ni l'autre attrapé de rhume. C'est alors seulement que Sarah secoue la tête et soulève la question de Marree et de Werribee.

Dix minutes plus tard, Bernice apparaît – une Bernice au front lisse et au pas plus serein. Je remarque qu'elle porte un plus grand sac. Au lieu de ressembler à un fourre-tout de marin microscopique, il pend de son épaule paisiblement – un sac des jours heureux. Les poussettes ne flottent plus dans sa conversation comme le font les mariées et les ânes dans les tableaux de Chagall. C'est pourtant la même Bernice, mais l'atmosphère autour d'elle est si différente que nous écarquillons les yeux malgré nous.

Sarah demande si elle a commencé la procédure de FIV. À notre grande surprise, Bernice secoue la tête.

« Non, j'ai laissé tomber. De toute façon, c'est mauvais pour la santé. »

Nous restons aux aguets, attendant plus de détails pendant qu'elle se glisse sur le banc à côté de moi. Il se trouve que les deux archéologues ont emménagé avec elle. Ils cherchaient une location plus près du centre et Bernice avait deux chambres inutilisées. Beaucoup de Melbourniens partagent un loyer et vivent ensemble, remplissant la ville d'amis de fortune.

« Ça aide pour les factures », ajoute-t-elle.

Puis, comme si le poids de sa litote l'étouffait, son sourire d'enfant inonde son visage.

Autour de nous, les buveurs portent leurs verres en paix et en silence, marchant pensivement comme des prêtres. Dehors, la nuit est jeune et tendre. Mais ma seule pensée est pour l'enfance de Lewis, s'amenuisant d'heure en heure, de minute en minute.

12

JACK

JE M'ORGANISE comme si je me préparais pour un voyage au Népal ou à Buenos Aires. J'appelle Kim, et aussi Mitali, pour dire que je ne serai pas disponible le lendemain, ni peut-être le jour suivant. J'achète un sac à dos pour l'occasion. Je le remplis soigneusement de livres et de ce dont j'ai besoin. Pour une fois, je n'oublie rien. Je m'occupe de l'argent et des factures et je mets tout en ordre, comme si j'allais mourir. Je n'ai aucun espoir, ni aucune attente — je m'en vais simplement. Pour moi, demain après-midi est à cent ans de distance. Je me réveille trop tôt. Je me lave, m'habille et mange un morceau. Quand j'ouvre la porte, il doit être six heures du matin, on dirait le crépuscule plutôt que l'aube. L'air est vif et les arbres pleins de présages. Je me mets en route vers la gare de Jewell.

Sur le chemin, sous les nuages, il y a quelques corbeaux énormes, aux ailes d'un noir presque bleu. Dans le feuillage des grands figuiers de Moreton Bay plongent des fleurs rouge, bleu et vert. Ce sont des perruches de Pennant. J'ai rempli ma carte de transport Myki à ras

bord, je la plaque sur la sentinelle jaune et je monte
sur le quai. Je reste plantée là à regarder le ciel comme
s'il était mon meilleur ami. Je lui fais confiance. J'aime la
gare de Jewell. Elle est petite et commode, mais elle a des
effluves de vrais départs pour de lointains pays. Le graffiti
sur le mur de briques de l'autre côté de la voie est une
partition musicale, griffonnant l'écho des trains sur les
rails scintillants. Qui pourrait ne pas aimer le train ? Jack,
pour n'en nommer qu'un. *The Station Agent*, un des
mes films préférés, l'a laissé froid. Cela m'a poussée à le
regarder avec précaution, pesant la forme de son menton
et le son de sa voix. J'ai douté un instant parce que je le
pouvais, parce qu'en lui j'avais trouvé la mesure de ma
liberté. L'amour est un envol qui échappe à l'ego, après
tout, un envol vers l'inconnu, comme la promesse de
terres lointaines de la gare de Jewell.

Maintenant je suis à la gare de North Melbourne. Ce
n'est pas l'opéra de Sydney, mais elle évoque un peu un
cygne, elle aussi. Montant, descendant, les escalators
semblent flotter au-dessus des rails pendant que le ciel se
penche sur eux, ses ailes bleues repliées en arrière. J'étudie
les écrans et je trouve la ligne pour Werribee. Avant de
sauter à bord, pour être sûre, me méfiant des noms qui
apparaissent et disparaissent des écrans, je demande à un
passager si c'est le bon train. Nous traversons plusieurs
banlieues. Les arbres me semblent légèrement différents.
Mais, tout comme ceux de Melbourne, ils donnent
l'impression de vous dévisager quand vous les contemplez.
Je vérifie chaque gare pour ne pas rater ma destination.

Il faut prendre un bus pour arriver au zoo. Je demande où est l'arrêt, et bientôt j'attends à côté d'une femme juchée sur d'immenses semelles compensées, quasiment des cothurnes. Ses deux enfants doivent balancer la tête en arrière pour voir son visage. Le bus arrive assez rapidement, la lumière rebondit sur toutes ses vitres et tous ses flancs. Des passagers en descendent et nous y grimpons. Le conducteur me vend mon ticket et je m'assois juste derrière lui. Quand un bus était vide, Jack s'installait toujours à l'arrière, tout au fond, avec un luxe de sièges libres devant nous. Mon esprit ne se dérobe plus, je pense à Jack. C'est inéluctable maintenant ; je suis si près du zoo, rien ne peut plus venir saboter mon initiative. Les dés sont jetés.

Jack est né en Australie ; cette large terre desséchée respire sous son col. Sa famille est ici depuis plusieurs générations. Ses parents ont une ferme laitière. Ils fabriquent des fromages que des gens de partout viennent leur acheter. Sa mère peignait autrefois, mais elle ne touche plus à ses pinceaux. Ses tableaux, suspendus sur tous les murs de leur longue maison au toit rasant, dégagent un sentiment de solitude. Ce sont des aperçus de paysages, comme si l'artiste les voyait d'un bateau ou d'un avion, du point de vue d'un départ, plutôt que d'un enracinement. Ce sont les dernières visions d'un lieu. En ce sens, des images tristes, opaques, un flot de souvenirs coupés court, tronqués. Roberta est d'un blond cendré, large de hanches, avec un sourire interrompu, comme si quelque chose lui venait à l'esprit avant qu'elle puisse aller au bout.

Elle donne toujours l'impression d'attendre mais, quand elle se détend, elle fronce les sourcils d'un air préoccupé. Jack était déçu quand elle a abandonné la peinture. Mais il ne lui en a jamais rien dit – cela ne le regardait pas après tout.

Jack est un animal autonome, il se déplace pensivement, comme s'il se frayait un passage dans le bush. Il n'est pas fermier, mais les habitudes et les voix de cette terre se sont installées en lui. Il obéit à des saisons et à des cycles intérieurs, il suit religieusement la météo sur son téléphone et écrit sa musique comme s'il plantait des récoltes au moment judicieux. J'aime cette notion de lieu si profondément ancrée en lui, et pourtant si détachée, si complètement dépourvue d'instinct de propriété. Je me demande à quelle saison il obéit aujourd'hui.

Je ne sais pas ce qui reste de l'amour quand on l'a perdu. Qu'est-ce que j'aimais chez Jack ? Quand je retourne sur mes pas, j'ai l'impression d'être une pie ramassant des morceaux de lui, des moments étincelants – marcher dans la rue à ses côtés, voir ses yeux apparaître au-dessus de son livre, l'écouter jouer de la guitare ou déclarer que la plupart des premiers ministres australiens, si l'occasion leur était présentée, préféreraient être capitaines de l'équipe nationale de cricket.

Le père de Jack, Jim, voue à sa ferme une passion qui laisse peu de place aux êtres humains qui l'entourent. Pourtant, quand il sourit, contrairement à sa femme, il est là tout entier. Sa présence se reconstitue, tel un hologramme. Il peut alors écouter les autres et parler intensément avec un humour qui tinte, un écho de cymbale vif comme l'éclair. Quand résonne cette cymbale, toutes les oreilles dans la pièce sont à l'écoute. Mais Jack, adossé au mur ou dans son fauteuil, fixe le plafond en mimant l'irrévérence. Il aime son père avec la sympathie qu'il aurait pour un autre homme. Il entretient une relation plutôt souple avec ses parents. Il se tient auprès d'eux avec le même naturel que s'ils s'abritaient sous le même auvent d'autobus. Il est détendu sans être distant, amical sans être familier. Il est étrangement libre des enchevêtrements psychologiques habituels. Pour ses deux frères, en revanche, c'est une tout autre histoire. Matt et Steven sont aussi passionnés par la ferme que leur père, et leur affection pour leur mère est très exclusive.

Je ne suis jamais retournée à la ferme sans Jack. Faire partie de la mémoire de Jack ou en être chassée, Jim et Roberta le sentent bien, nous sépare plus sûrement que si nous vivions dans des pays différents. Ils m'écrivent des lettres remplies de bonté et d'encouragements, m'informant des visites occasionnelles de leur fils et s'inquiétant de mon bien-être. Nous sommes séparés par un purgatoire, un infranchissable désert – la mémoire de Jack. Je leur envoie des cartes avec des photos d'arbres, des êtres vivants, plutôt que des mots.

Les voitures passent sporadiquement. Je regarde les paillettes de lumière ricocher sur les vitres du car. Nous sommes encapsulés et transportés dans un cocon scintillant. La départementale est ponctuée de maisons,

puis se transforme en une route poussiéreuse, écrasée
de soleil dans un maquis dégarni, comme si le bitume
avait été lui-même avalé par le soleil – qu'on ne voit nulle
part dans le ciel, simplement des kilomètres et des kilomètres de toile bleue, tendue là-haut, au-dessus de nous.
On pourrait s'imaginer dans une savane africaine. Puis le
squelette retourné d'un dinosaure surgit – assurément
l'entrée du zoo, car le bus débraye à grand bruit, ralentit
et finit par s'immobiliser. J'achète mon billet et, plutôt
que de traverser le tourniquet, je prends une table dehors,
sous un parasol, et commande une boisson. Je sors enfin
mon livre et je me prépare à attendre. Je pourrais
demander où il se trouve, mais au lieu de cela, je reste
devant mon jus de légumes tel un singe en hiver. Mon
livre est de Barbara Pym, soigneusement choisi pour
son apaisante fantaisie douce-amère. On ne peut pas
désespérer avec un Barbara Pym dans les mains, on peut
avoir une larme discrète, mais elle s'évapore comme une
pluie d'été.

Je n'avance pas beaucoup dans ma lecture. Maintenant
que je suis là, hier me revient par vagues. Sarah était
tranquillement péremptoire.

« N'y va pas, tu vas te griller. »

J'ai secoué la tête. Sarah a demandé :

« Qu'est-ce que t'a dit Mary ? »

Il n'y avait plus que ses yeux.

« Peut-être que tu penses que je devrais aller moi-
même à Marree chercher mon ex. »

J'ai secoué à nouveau la tête.

« Non, je sais seulement que, moi, je vais à Werribee. »

Elle s'est immobilisée, le regard absent, ses mots comme séparés de sa personne :

« Depuis un long moment, j'ai l'impression de jouer au mikado, j'empile des allumettes, l'architecture devient de plus en plus folle, et maintenant – peu importe que j'aille à Marree ou au diable –, j'ai même peur de respirer. »

Je l'ai contemplée avec une expression que je sentais de guingois, effarée malgré moi. Puis, pour la première fois, elle a pris mes mains dans les siennes.

« Bonne chance », m'a-t-elle chuchoté.

Et maintenant me voilà au zoo. Et soudain Jack est là, debout, sa silhouette découpée dans le contre-jour. Je vois à peine son visage quand il me demande :

« Qu'est-ce que tu fais là ? »

Sa question abrupte déroge à sa courtoisie à mon égard depuis l'accident. J'esquisse un geste maladroit avec mes mains, comme si j'essayais de saisir une réponse dans l'éther, et je lui demande s'il veut bien faire quelques pas.

« Tu es venue ici pour "faire quelques pas" ? On ne peut pas se promener ici, seulement rouler en jeep protégée de grillage renforcé. Enfin, concède-t-il, on peut faire un tour juste derrière ce bâtiment si tu veux. »

Maintenant, il est assis. Ses cheveux châtain clair ont quelques mèches cendrées, et ses yeux noisette ont perdu leur reflet intense. Soudain, en dépit de mes battements de cœur et du vide dans mon estomac, j'ai envie de partir. Il doit y avoir une erreur, ce n'est pas Jack – c'est un *Doppelgänger*, un double. Il paye pour mon jus, balaye ma tentative de régler moi-même, et me prend le bras, me tirant presque vers le tourniquet. Nous avançons dans l'odeur des animaux.

Sa main toujours sur mon bras, il me dirige vers un tigre arpentant un bosquet, séparé de trois enfants rebondis par une vitre sécurit.

« Celui-là est surveillé par les vétérinaires. »

Nous nous tenons à côté des enfants. Pendant que nous l'observons, le tigre accélère, ses allées et venues sont aussi énergiques que celles d'un avocat à la cour tentant de convaincre un jury. Il y a une brise légère ; elle repousse les cheveux de Jack sur la chair si familière de son front. J'attends ; les mots rouillent dans ma gorge. Je me concentre sur le tigre, qui me fixe de son vieux regard fatigué. Lui et moi sommes dans le même bateau – séparés de notre réalité par une vitre. Jack soupire comme s'il cédait à quelque chose en lui-même.

« Il me fait toujours penser à ma mémoire. Ils devraient le relâcher bientôt, le rendre à son vieux domaine », dit-il en me jetant un fantôme de son ancien sourire.

Puis il pivote et m'agrippe les bras près des épaules.

« Mais, pour moi, c'est sans retour, rien ne me revient, pas même un reflet, pas même une lueur de ce que nous étions ensemble. *Rien.* Je me construis une nouvelle vie. Tu devrais laisser tomber, toi aussi. Je suis quelqu'un d'autre à présent. Je ne suis pas le type que tu as connu. Trouve-toi une autre vie. J'ai essayé et essayé encore, crois-moi. Mais il ne reste rien de ce que j'étais avec toi – pas la moindre braise. »

Son visage se découpe dans le ciel. Je sens ses doigts mordre dans mes avant-bras. Je ne lui pose pas la question évidente : « As-tu rencontré quelqu'un d'autre ? » Mon esprit est vide. Jack soupire et me secoue un peu :

« C'est assez clair ou il y a encore quelque chose que tu ne comprends pas ? »

Et, du même coup, sans transition, il m'embrasse sur les lèvres. Je réagis comme s'il m'avait giflée. Il me tient toujours.

« Tu ne vois pas ? Il n'y a *rien*, plus rien entre nous. »

Ses mains retombent.

Le ciel australien nous engloutit. Le tigre s'arrête. Ses yeux sont rivés sur nous. Ses pupilles s'élargissent, elles me dévorent et me rassurent à la fois, puis se rétractent. Le tigre reprend alors son chemin circonscrit.

« Je pense que je vais partir, maintenant. Tu as raison, Jack, c'était une idée idiote de venir ici. »

Je regarde le tigre comme s'il me donnait la réplique. À nouveau, il s'est arrêté près de la vitre et plonge ses yeux dans les miens. Mais je suis loin de me vivre comme un potentiel repas. Au contraire, quelque chose m'arrive – ni dans le temps, ni dans l'émotion, ni dans la peur – qui traverse la vitre épaisse, un cadeau sans nom. Après ça, je touche la manche de Jack et je m'éloigne. Ma lamentable expédition est terminée.

« C'est bon », j'entends.

Jack s'est déplacé aussi vite que moi, si vite que, pendant un instant, je pense que le tigre est sorti de son bosquet.

« Allons le faire, ce tour », dit-il.

Il me reprend le bras. Je le suis comme un automate. Il y a trois jeunes arbres un peu plus loin. Près de leurs troncs pâles, quelque chose en Jack semble se calmer. Je ne dis rien. Un mot pourrait faire déborder ma présence comme du lait sur le feu. Nous nous tenons près des eucalyptus fantômes. J'attends. Le temps est devenu un goutte-à-goutte qui broie mon existence avec Jack. Je me retire du tableau. Jack, ou celui que Jack est devenu à présent, a croisé ses bras.

« Tu me compliques la vie », dit-il lentement.

Parce que je ne sais pas quoi faire, je m'assois sur un tronc d'arbre mort. La seule chose qui me rassure est qu'il n'essaye pas de me faire la conversation. Mes doigts touchent l'écorce sur laquelle je suis assise et il s'adosse contre un arbre.

« J'imagine bien que ça doit être assez rude pour toi. »

Je ne réponds pas, je préfère lui demander s'il y a des vers luisants dans son zoo. Il remue la tête et sourit.

« Non... Ce sont un peu les étoiles de la terre, tu ne trouves pas ? »

Sa mémoire des vers luisants est toujours là, même si son grand-père est une des personnes dont il ne se souvient pas. Moi, en revanche, je me souviens de ma grand-mère. Ce qui m'attend, si jamais je finis d'écrire mon histoire sur elle, c'est sa mort – brûlée vive, seule à la campagne en hiver, sa longue écharpe ayant pris feu parce qu'elle se tenait trop près du poêle. Quand elle a couru vers un robinet, les tuyaux étaient gelés. Le docteur

qui s'est finalement rendu au chevet de son corps, brûlé
au troisième ou au quatrième degré, n'a rien pu faire.
Pendant que je regarde Jack, mon esprit est avec elle, dans
ce moment où elle attendait une aide qui est venue trop
tard. Sa vie avait achevé son cours. Je ne peux me concentrer que sur ça – sa fin, sa mort.

Quand il me serre la main derrière le tourniquet, je me
souviens que « tourniquet » a aussi un autre sens. Je
marche vers l'arrêt dans le brouillard, me concentrant sur
la définition. Je m'arrête même pour chercher « tourniquet » sur mon téléphone : « Garrot élastique servant à
stopper une hémorragie ». Les mots tournoient dans ma
tête tandis que je laisse Jack derrière moi, pour attendre
le bus.

13

Warburton

À l'arrêt, je fixe le ciel de Werribee et le bush, et contemple un énorme eucalyptus fantôme près du croisement, comme si ma vie en dépendait. Son tronc blanc est solide et irréel en même temps, se nourrissant à la fois du ciel et de la terre. J'attrape l'autobus et le train pour rentrer chez moi grâce à une sorte de mémoire musculaire. À un certain moment, il y a un bourdonnement dans mon sac à dos. C'est un texto de Sarah : *Où es-tu ?* Mon doigt répond : *Sur le chemin du retour.*

Quand je descends à la gare de Jewell, elle est là, dans sa voiture, avec un sourire désabusé. Elle baisse sa vitre.

« C'est une bonne chose que tu aies déjà tes affaires emballées. Monte. »

Je ne réfléchis même pas, et suis bientôt dans sa voiture avec mon sac à dos sur les genoux, comme je l'étais dans le bus, dans le train. Les images qui flottent par la fenêtre ne se cristallisent pas. Mon sens des lieux a complètement disparu. Bientôt, je suis tellement loin que je ne me sens même plus en Australie. Même la conduite de Sarah a perdu de son sel. Je m'endors comme une pierre.

Je rêve d'une salle d'attente de dentiste. L'endroit est gelé dans le temps. Le dentiste pourrait aussi bien être en vacances – des magazines périmés sont en éventail sur la table, l'éclairage est jaune et avare, des colonnes de poussière se tiennent dans le rayon de lumière de la fenêtre, toujours fermée, même en été. Tout en bas, au fond de la cour de l'immeuble, on entend des rires, mais ces échos semblent venir d'une planète lointaine. Les clients qui attendent leur tour ne paraissent pas réels. Ils sont assis les uns à côté des autres dans un silence surnaturel, jusqu'à ce que la voix désincarnée du dentiste appelle leur nom depuis l'autre pièce. Quand ils entrent dans son cabinet, la chaise est une mâchoire béante. Presque sans un mot, le chirurgien se penche sur eux avec des mouvements lents, comme aquatiques. Il ressemble à un avocat ou à un homme d'affaires, on ne le prendrait jamais pour un docteur. Quand il parle, ses yeux se plissent pour jauger la peur de ses patients. Et il fait toujours mal, même pour l'acte le plus simple. Ils en sortent finalement et se mettent à marcher sous les grands platanes du boulevard encombré au pied de l'immeuble. Mais leurs êtres ont perdu de leur consistance.

Je me réveille en sursaut ; Sarah a klaxonné un kangourou sur la route. Je lui demande combien de temps j'ai dormi.

« Un peu plus d'une heure », dit-elle en me lançant un regard. « J'aurais pu t'emmener jusqu'à Marree si j'avais voulu, pas vrai ? »

Je la regarde.

« C'est ton plan ? »

Mais nous n'allons pas si loin. Sarah continue de rouler jusqu'à ce que les banlieues soient effacées par des collines, puis elle gare sa voiture le long d'un champ. Bientôt, nous nous promenons sur un chemin de campagne.

« Regarde, c'est le Great Dividing Range. Cela commence à l'ouest de Melbourne, puis s'amenuise vers le nord de la ville, pour reprendre à nouveau ici dans les montagnes, au nord de la vallée du Yarra, et s'étendre jusqu'au Queensland du Nord », m'informe-t-elle avec un large geste de la main.

Son sens de l'orientation est en harmonie avec sa démarche et la puissance de ses sculptures.

« Mais où sommes-nous maintenant ? » je bêle.

« Warburton. »

Des fermes sont parsemées ici et là. Des hectares de terre paresseux surgissent à la rencontre d'une prairie de ciel bleu où moutonnent quelques nuages. Nous marchons. Agréablement fatiguée et en nage, j'ai l'impression de flotter à côté d'elle sans effort. Maintenant que nous avons atteint la crête de la colline, les champs bleus du ciel se déversent dans un patchwork d'autres collines entrelacées. Quelque chose pourrait arriver d'une minute à l'autre. Il n'y a aucune émotion dans le paysage, l'air s'est volatilisé. Tout semble en carton, les arbres, les herbes, les wombats, les wallabies – et nous, les deux femmes. Je respire le désastre, bien davantage que l'autre soir, quand nous étions vraiment en danger. Soudain la mémoire de Jack, ou plutôt son absence de mémoire, s'est transformée en un vide torrentiel qui dévore tout ce que je regarde. Au lieu d'ériger des statues de bronze de piaffants conquérants, on célèbre l'absence dans les villes d'Australie. C'est la terre de la disparition et de l'éloignement, celle de Burke et Wills partant explorer le désert, héros d'une expédition perdue et sans retour.

Nous revenons à la voiture, et Sarah roule jusqu'à trouver un bed and breakfast – quelques cabines à tendance écologique, chacune avec sa véranda, sa cheminée et une ou deux chambres. La propriétaire, qui vit dans une plus grande maison, est une femme taciturne avec des cheveux cendrés, et un ton cassant frisant la grossièreté. Sarah sait très bien être taciturne elle aussi, et les deux femmes embrayent sur une sorte de sympathie négative. Nous réglons l'affaire. Sarah arrache presque la clef de l'emprise réticente de la propriétaire, et nous nous dirigeons enfin vers la cabine qui nous a été allouée. Sarah ouvre la porte et regarde autour d'elle comme si elle prenait ses marques dans un saloon.

« Elle pense probablement que nous sommes un couple de lesbiennes. »

Elle laisse tomber son sac sur la table, en tire une bouteille de vin, et porte une allumette au papier, au petit bois et aux bûches, préparés dans la cheminée. C'est l'été, mais dans les montagnes l'air nocturne est frais. Je pose mon sac à dos contre le canapé et me balance d'un pied sur l'autre, pendant qu'elle fait apparaître du fromage, des olives, du pain, du jambon et des raisins.

Une demi-heure plus tard, le vin coule dans mon organisme sans m'affecter d'aucune manière. Sarah est assise près du feu, les bras autour des genoux. Je suis par terre aussi, adossée au canapé. Les flammes font la conversation à notre place, chuchotant, promettant Dieu sait quoi. Nous échangeons quelques mots décousus de temps à autre, interrompues par le crépitement et les étincelles des flammes. La fraîcheur de la pièce se mêle au feu, donnant à la chaleur un corps vivant, précieux. Dehors, les ombres des arbres semblent s'agglutiner pour regarder à l'intérieur. Je ne reconnais pas la nuit, elle est si différente de celle de Melbourne. Elle s'approche comme une présence, plutôt que de se composer seulement d'obscurité. « Ô nuit, ô ma fille la Nuit, toi qui sais te taire, ô ma fille au beau manteau... » Un vieil homme murmurait du Péguy à la vitre d'un train roulant dans un tunnel. Je ne peux me souvenir ni où, ni quand, j'ai entendu le chuchotement de cet étranger, mais mon image de lui est plus claire que ma dernière vision de Jack. Peut-être était-ce la dernière fois que je le voyais ? Je repousse cette idée pourtant vraisemblable.

Quand Sarah se met à parler pour de bon, son ton est si nonchalant que je crois à un nouveau commentaire sur le Great Dividing Range. Ses mots en eux-mêmes n'ont pas tout de suite de sens :

« Mon ex, Gerald, n'a pas vraiment disparu, tu sais. Il vit à Adélaïde. »

Éberluée, je sens mes lèvres s'étirer de chaque côté de mon visage en une sorte de grimace.

« Qu'est-ce que tu veux dire, Sarah ? »

Elle ne répond pas tout de suite et, pendant ce laps de temps, ses mots atteignent finalement la petite partie de mon cerveau qui découvre la signification des choses.

« Es-tu en train de parler du père de Mary ? »

Elle hoche la tête, et continue sur sa lancée :

« Oui. Gerald a *bien* laissé sa voiture à Marree, qui est la dernière petite ville avant le désert. Et il est *bien* parti à pied dans le désert en vêtements inappropriés, comme Harry Dean Stanton dans *Paris, Texas*. *Ça*, au moins, c'est la vérité. »

Sarah, désormais debout, le dos aux flammes, me regarde pensivement. Je n'ai pas remarqué qu'elle se levait – c'est comme si elle avait opéré un tour de passe-passe avec son propre corps.

« Le fait est que nous savons exactement où il est *maintenant*. »

C'est encore difficile à assimiler.

« Tu veux dire qu'il est *vivant* ? »

Je l'entends soupirer, peser ses pensées, se rassembler, avant de se mettre en position pour marquer son but.

« Nous pensions tous qu'il était mort. Des équipes de secours et des hélicoptères avaient ratissé le terrain – tout le caravansérail. La police vérifiait tout le temps sa carte de crédit. Il ne l'a pas utilisée une fois. Puis, d'un coup, *il était là*, à Adélaïde. C'est Mary qui m'a envoyé un texto pour m'annoncer qu'il était en vie. »

Je la fixe, bouche ouverte. Après deux grands verres de vin, c'est trop d'informations, ou pas assez. Tout un échafaudage dégringole. Bien sûr, cet échafaudage ne

protégeait rien pour moi, ne m'était même pas nécessaire –
seulement, à présent, la vue est si radicalement différente.

Je ramène mes genoux contre ma poitrine.

« Mais, Sarah... pourquoi... pour quelle raison ? Pendant
combien de temps a-t-il disparu ? »

Son expression change sans que ses traits bougent.

« Il a disparu deux mois entiers. »

Je me lève et je m'assois sur le canapé.

« Deux mois ! »

« Oui. »

Elle enterre ses mains au fond de ses poches.

« Deux mois entiers, rendant tout le monde malade –
moi y compris. »

Elle sourit tristement.

« Alors, quand j'ai reçu le message de Mary, je n'y ai pas
répondu. J'ai continué à parler de lui comme s'il était
toujours perdu, refusant la nouvelle version des faits. Je
l'ai *pris au mot*. »

Dans le silence qui suit, je préférerais qu'on soit encore
sur la colline. La pièce me semble trop petite pour ce
genre de révélation.

Un jour, j'ai vu un homme peindre le sol de son
magasin dans Brunswick. Il était debout, échoué sur un
radeau de ciment au milieu de la pièce. Il s'était éliminé du
lieu. J'ai vu ses yeux en passant sur le trottoir. Les yeux de
Sarah ont exactement la même expression. Et, au-dessus
d'eux, sa frange demeure aussi lisse et noire que l'ombre
d'un couteau dans un film d'Hitchcock.

Elle émet un grognement.

« Il voulait *disparaître*. Eh bien, qu'il disparaisse, je l'ai pris au mot. Les autres ont compris, même Mary. Ils étaient furieux eux aussi. Et puis, nous avions divorcé, après tout. »

Je fronce les sourcils.

« Mais pourquoi a-t-il fait ça ? Juste à cause de votre querelle ? »

Elle balance les bras en un mouvement de rames.

« Je n'en ai pas la moindre idée. »

Je prends un risque :

« Est-ce que tu penses que cette situation s'est tellement durcie qu'elle ne peut plus être résolue ? »

Elle se mord la lèvre et me regarde sans ciller.

« Il n'a jamais essayé de s'expliquer. »

Sa voix sort des ses gonds.

« Mais je sais qu'il va bien. Mary le voit, ma mère le voit. Tout le monde le voit. C'est un immense non-dit − non seulement entre lui et moi, mais entre moi, ma fille et ma mère. »

J'avale mon vin d'un coup.

« Alors, quand tu parles de lui avec Mary, c'est comme s'il était encore perdu dans les sables ? »

Elle se retourne vers le feu.

« Oui, c'est ça. »

Je regarde le fond de mon verre.

« Ah. »

Je ne sais pas quoi dire d'autre. Mais, d'une certaine façon, je comprends. Cela me fait penser aux poupées russes. La plus petite, la plus lourde, la plus dense, enfermée au milieu de toutes les autres, est la plus importante. Mais on ne peut l'atteindre avant d'avoir ouvert toutes les plus grandes. Je me lève, me rassois.

« As-tu jamais su ce qui lui était arrivé ? »

Elle secoue la tête.

« Non, et je n'ai pas cherché à savoir. Il a dû se promener dans le désert pendant deux mois, camper, trouver des points d'eau. »

J'avale cette information et je demande faiblement, plus pour briser le silence que pour obtenir une réponse :

« Et qu'est-ce qui était arrivé à sa voiture ? »

Elle répond avec un nouveau grognement.

Sarah me fixe sans me voir.

« La blague a tourné au vinaigre. Elle n'a plus ni queue ni tête. Et maintenant, bien sûr, Mary est drapée dans son impitoyable blague bleue. »

Pressée contre les portes-fenêtres, la nuit s'est encore avancée d'un pas, les noisetiers groupés sous son manteau noir. Sarah, l'avant-bras contre la tablette de la cheminée, pousse une bûche de la pointe de sa botte. Elle semble pensive, sa force solitaire lui échappe lentement – cette force qui m'a amenée ici avec elle. Il ne s'agit pas tant de blagues qui tournent au vinaigre, ou de malentendus idiots, que de tout ce qui nous livre aux énigmes du non-dit.

Je me penche vers elle.

« Sarah, je suis sûre que tout cela n'a rien à voir avec la burqa de Mary. Rien. Cette burqa est uniquement l'affaire de Mary et n'a aucun rapport avec son père ou avec toi. Ne me demande pas pourquoi. Mais cela me semble une évidence incontestable. »

Le soulagement sur son visage est palpable, comme si nous avions atteint la plus petite des poupées russes.

« Tu le penses vraiment ? »

Elle époussette ses jeans de la main.

« Tu ne veux pas aller faire une promenade ? Enfin, si tu n'es pas fatiguée des randonnées dans la nature en ma compagnie. Au moins, ici, il n'y a pas de rivière à proximité immédiate, et les violeurs doivent s'être pelotonnés au coin du feu. »

Nous marchons entre les noisetiers et leurs ombres, vers une plaie touffue de bush plus sombre que la nuit tombante. Je lui raconte le zoo de Werribee. Cela ressemble à un rapport météo. Je ne veux pas m'appesantir. Nous savons toutes les deux que ce n'est pas la peine d'en discuter. J'ai joué le tout pour le tout, et j'ai perdu. Elle pose un bras autour de mes épaules un instant. Nous entendons le brusque cri d'un oiseau et un piétinement dans le sous-bois. Nous trébuchons sur des branches mortes et nous nous enfonçons dans les taillis pendant que le bush crépite et siffle tout autour de nous, un peu comme le feu. Nous nous frayons un chemin dans l'obscurité, suivant les méandres entre les grands eucalyptus. Sarah me lance un regard :

« Tu ne te sens pas comme ces foutus Hansel et Gretel ? »

Je ris pour la première fois depuis des jours. Et soudain, la lune apparaît au-dessus de nous entre les branches, et nous savons que nous avons toutes les deux une chance dans cette vie qui est la nôtre.

14

Philip

Il est tard dans cette après-midi de début d'automne. Mon voyage au zoo est maintenant plusieurs semaines derrière moi. Je repense à la mort de Jill Meagher. Sa vie s'est infiltrée dans Melbourne comme le cri des oiseaux, les melaleucas déchiquetés, les eucalyptus fantômes solennels et les allées et venues des Australiens prenant leur café sur les trottoirs, dont les rires font écho à la vibration des trams, à la ville et aux banlieues se tricotant à l'infini.

Je viens d'acheter de quoi dîner et, encore dans mes vêtements de jardinage et mes bottes maculées de boue, je tombe sur Mary. Une moto hurlante déchire Lygon Street, et un ricanement déborde de la fontaine de tissu bleu marchant à côté de moi :

« *Sur-com-pen-sant* pour quelque chose... »

Je me retrouve à farfouiller dans mes pensées pour trouver quelque chose d'innocent à lui dire. Mais mon esprit est une chambre sombre où les révélations de Sarah sur son ex sont des formes opaques et furtives. Une information n'est jamais simplement une information, elle prend une place invisible dans l'ombre ; elle encombre notre présence.

« Comment ça va, ton boulot ? » je demande enfin.

Mary hoche la tête et me donne une tape dans le dos.

« Ça baigne. Et le tien ? »

Je hausse les épaules.

« Ça creuse. »

Le léger sifflement de son pas ralentit.

« Je viens d'entendre que le meurtrier de Jill Meagher avait reconnu sa culpabilité. Et pourtant ce n'est pas le point d'orgue de l'affaire. Sans doute parce que nous savions tous qu'il était coupable. C'est un peu horrible d'en être sûrs depuis le premier jour. »

Au moment où nous approchons de la rue du chat, je dis :

« J'aime la façon dont sa famille est réticente et calme à ce sujet, au lieu de donner libre cours à la soif d'expiation des médias, pas toi ? »

« Ouais, je suis d'accord. »

Puis, je me mets à lui parler du chat – lui expliquer que je ne l'ai pas aperçu depuis plusieurs jours, qu'il m'arrive même de traîner dans la rue dans l'espoir de tomber sur lui, combien j'aimerais le voir apparaître, que ses étranges allées et venues me hantent légèrement, combien j'espère qu'il ne lui est rien arrivé. À bout de souffle, je m'arrête. Mary se retourne et demande :

« Comment sais-tu que c'est un mâle ? »

Je la regarde, surprise.

« Je ne sais pas. Je n'ai jamais pensé à lui autrement. Si c'est une femelle, elle m'a vraiment bernée. »

Il me vient à l'idée que je réagis avec elle comme si elle était elle-même un félin. On a besoin de développer un sixième sens en ce qui concerne Mary. Les signaux et les indices habituels ne sont pas là. Cela me fait réaliser combien je dépends des sourcils, des lèvres, des narines, des joues, des mentons, des paupières, même de la peau, plutôt que des mots. Les visages frémissent, se durcissent, se froncent, pâlissent, rougissent. Avec Mary, on n'a pas grand-chose à surveiller. On ne peut compter que sur ses mains, son ton, et devenir sensible à chaque inflexion de sa voix, pour écouter une autre musique.

« Nous sommes dans sa rue », je lui dis.

Et, bien sûr, parce que j'ai abandonné tout espoir, parce que je ne m'y attends pas, il apparaît, juste là, assis sur une barrière, se léchant les pattes. Des amas de nuages abricot ont été vidés dans le ciel par une brouette invisible. Il me lance son regard de tigre décontracté. Pour couronner le tout, il nous laisse le caresser. C'est un chat du crépuscule, un chat gris. Pas étonnant qu'il choisisse le coucher du soleil pour se détendre. Sans plus discuter de son sexe, Mary reconnaît que ce chat est, sans conteste, tout à fait spécial.

« Un peu souverain et un peu clochard, tu ne trouves pas ? Sûr de lui et sensible – un Humphrey Bogart de chat. »

J'aime cette femme bleue. Même si elles sont très différentes, j'éprouve pour Mary la même sympathie que pour sa mère. J'oublie les révélations de Sarah sur le père de

Mary, du moins je ne me préoccupe plus de les éviter. Maintenant nous passons devant la maison de Bea, où j'ai jardiné. Je touche le bras de Mary.

« Est-ce que tu veux rencontrer quelqu'un que j'aime bien ? »

Elle hausse les épaules.

« Pourquoi pas ? C'est mieux que de rencontrer quelqu'un que tu n'aimes pas. »

Je tire la sonnette à la barrière, en adressant une grimace à Mary.

« Je ne l'ai rencontrée qu'une fois. »

Il y a une minute de silence comme si le jardin écoutait, puis on entend des pas et Bea apparaît.

« Bon-jour », dit-elle.

Je lui explique que je n'avais pas son numéro et que je voulais la revoir. Elle sourit et recule pour nous laisser entrer. Il me semble flotter le long de l'allée vers sa maison. Bea flotte elle aussi entre soixante-dix et quatre-vingts ans sans que cette décenie semble la toucher de la manière habituelle. Ses rides ont du chien.

Le lieu est tel que nous l'avions laissé, avec son grand arbre surveillant la situation. Elle nous conduit à l'intérieur, à travers des portes vitrées coulissantes. La pièce est spacieuse, avec un canapé assez bas et des fauteuils près du sol qui ont un air japonais. Il y a des livres partout et des dessins sur les murs – de jardins, de poissons. Je suis sûre qu'ils sont de Bea. Elle passe derrière un bar blanc et branche la bouilloire électrique. Nous attendons, presque accroupies sur le sol.

« On n'attend plus que Boucles d'or, pas vrai ? » je chuchote.

Mary hoche la tête. Je sens un sourire émaner d'elle.

« En dépit de l'absence des ours, j'éprouve un *délicieux sentiment de transgression.* » Elle s'arrête un instant : « Je crois que j'ai pris ça dans le roman de Jane Austen que je suis en train de lire. »

C'est difficile de l'imaginer lisant Jane Austen – Steinbeck plutôt, ou Henry Miller, même Bukowski. Les habitants de Brunswick sont une source de perpétuel étonnement.

Bea revient avec des biscuits et de la tisane. Elle les pose sur la minuscule table, plus solide que son apparence ne le suggère. Puis, soudain, les petites mains efficaces de Mary s'avancent de leur propre chef pour verser le thé. Cela sonne juste, comme si c'était là son rôle. Bea semble le sentir elle aussi, car elle se détend dans son fauteuil. Mary lève une tasse des deux mains comme on soulèverait un bol.

« Cette tasse est si belle. Elle me rappelle un conte que j'ai entendu. »

Puis, comme si ses voiles abritaient une oasis des *Mille et Une Nuits*, sa voix s'élève, quasiment une ventriloque.

« Une princesse est victime d'un enchantement, captive d'une maison magique et entourée d'objets qui sont chargés de son éducation. Le piano lui enseigne la musique, les livres lui apprennent les langues étrangères, la philosophie et la littérature, les tapis lui expliquent comment ils ont été tissés, les tables et les chaises décrivent les forêts dont elles sont issues, ses chaussures lui chuchotent la direction à prendre – chaque objet lui transmet son savoir. Seul l'un d'entre eux est vraiment vivant – un petit nuage, prisonnier de l'édredon sur le lit de la princesse. Il lui susurre des paroles de rébellion chaque nuit, promettant de la mener vers la liberté si elle accepte seulement, un jour de grand soleil, de découdre l'enveloppe de soie qui le retient prisonnier et de bien la secouer afin qu'il retourne chez lui dans le ciel. »

Elle s'arrête et je sens ses yeux à nouveau sur nous.

« Bien sûr, un beau matin, la princesse finit par lui obéir, en dépit des avertissements stridents des autres objets. Elle jette ses chaussures enchantées et se met en route pieds nus pour suivre le nuage. Mais, avant qu'il ne puisse la mener à la liberté, un orage monte et il est chassé au loin. La princesse se retrouve pieds nus dans le désert. »

Personne n'a dit un mot, c'est comme si l'air lui-même écoutait. Parce que Bea est la personne qu'elle est, et que tout semble couler de source avec elle, il ne m'a pas traversé l'esprit de me demander ce qu'elle pensait de la dégaine de Mary. Mais, après l'histoire, je suis sûre que Bea, tout comme moi, voit Mary s'échapper d'une housse d'édredon bleue, révélant un visage que nous pouvons seulement imaginer.

Je brise l'enchantement.

« Elle me fait penser au personnage de *Cent ans de solitude*, Remedios-la-belle, celle qui secoue les draps dehors et flotte avec eux vers le ciel. »

Mary rigole.

« Moi aussi j'aime Remedios-la-belle. Tu te souviens quand elle coupe ses longs cheveux parce qu'ils pendent dans sa soupe ? »

Bea fronce les sourcils.

« Où avez-vous lu l'histoire que vous nous avez racontée ? »

Mary glisse une main sous son voile pour se toucher la joue. C'est la première fois que je la vois faire ça, c'est la première fois que je vois son corps s'exprimer. Elle doit se sentir bien ici.

« Je ne l'ai pas lue, dit-elle, ma voisine à Adélaïde me l'a racontée avant de mourir d'Alzheimer. Elle l'avait écrite elle-même. »

Mary étend ses mains à plat sur ses genoux.

« Ce n'était pas le genre de personne que l'on peut oublier. »

Bea fronce à nouveau les sourcils.

« Quelle genre de personne était-ce ? »

Mary se concentre une seconde avant de répondre.

« Inattendue. Traditionnelle, mais aussi rebelle. Avec un air de poule nerveuse, toujours à regarder derrière son épaule, picorant dans la cour des autres. Mais, soudain, elle s'arrêtait sur le palier pour me parler de choses extraordinaires. »

Bea nous verse du thé à son tour et demande avec une sorte d'intuition :

« Avait-elle mon âge ? L'idée d'un être jeune atteint d'Alzheimer est presque insoutenable. Si j'avais dû mourir jeune, j'aurais préféré avoir un cancer et conserver mon esprit. Mais, quand on est vieux, la mort peut avoir beaucoup de visages et devenir plus mystérieuse. »

Mary hoche la tête, mais ses épaules se voûtent comme si elle avait froid.

« Elle est morte comme on meurt jeune, comme quelqu'un qui n'était pas prêt. Ça n'a pas été une mort paisible. J'ai toujours pensé que ce conte était sa propre histoire déguisée. »

Le chien du voisin s'est glissé sous la barrière et vient se couler contre Bea.

« Bonjour, Larry. »

Puis il voit Mary et se met à aboyer furieusement. Elle se fige sur place. Il est apparemment allergique aux burqas. Je suis soulagée quand Bea se lève et se dirige paisiblement vers le jardin où il la suit. Mary n'a pas bougé d'un centimètre. Quand Bea est de retour, elle me demande ce qui m'est arrivé ces derniers temps. Je me retrouve à lui raconter le zoo et le tigre, sans mentionner Jack. Mary se penche en avant :

« Les félins semblent lui trotter dans la tête aujourd'hui. »

Bea mord dans son biscuit.

« Les animaux perçoivent des choses qui échappent à notre radar, mais qui sont des choses importantes. »

Je frémis à l'idée que Mary soupçonne Larry d'avoir utilisé ses dons extrasensoriels de chien à son endroit, mais on voit bien qu'elle suit le raisonnement de Bea, qui continue sereinement.

« Ma mère était bonne avec les animaux. Elle savait comment se comporter avec eux. Moi, je suis meilleure avec les plantes. »

Mary soupire.

« Moi, c'est avec les formes. J'aime les formes. Tout a une forme — on a tendance à l'oublier. Les gens ne pensent qu'en termes de couleurs et de sons. »

À cet instant précis, un jeune homme, grand, blond, mince, d'à peu près trente-cinq ans, apparaît. Avec ses cheveux bouclés et sa chemise ouverte, on dirait qu'il sort d'une publicité. Et pourtant, dès qu'il ouvre la bouche, on oublie son apparence. Il pourrait aussi bien être fabuleusement laid. Il s'accroupit près de Bea :

« Qu'est-ce qui se passe ici, Bea ? Qu'est-ce que tu fabriques ? »

Elle lui sourit, et la tendresse entre eux est presque palpable. De même qu'elle n'a pas battu d'un cil en voyant la burqa — et que ses soixante-quinze ans sonnés n'ont aucun impact sur son comportement —, lui, à son tour, ne manifeste aucune réaction immédiate face à l'accoutrement de Mary. Il s'assoit simplement à côté d'elle. Quand certaines personnes entrent en contact, l'air, les tableaux sur le mur, même la forme de la pièce, semblent muer.

« Qu'est-ce qui s'est passé avec Larry ? »

Bea hausse les épaules.

« Oh, une petite crise parce qu'il n'a pas eu sa friandise habituelle. J'ai oublié d'en acheter. »

Puis elle verse une tasse de thé à son ami.

« Philip partage la maison avec moi en ce moment. Il est peintre. Philip Paulson. »

Il se tourne vers Mary.

« Je voudrais bien te peindre. Ce serait un défi de te peindre, *toi*. »

Son ton n'exprime aucune arrière-pensée. Mais, pour la première fois, je vois Mary prendre un commentaire personnellement, presque de façon irrationnelle. Elle secoue la tête lentement :

« Je ne me cache pas derrière ça. »

Cela ne me semble pas vrai, même si c'est la première fois que je l'entends se justifier ou mentionner directement son voile auprès d'un étranger. Personne ne dit rien. Bea et Philip savent instinctivement quand il vaut mieux se contenter de respirer.

La bonté irradie des yeux aux iris pensifs du nouveau venu, comme si leur couleur et leur texture étaient imprégnées d'une empathie profonde.

« Alors, tu me laisserais te peindre ? Ce serait possible ? »

Mary ne réagit pas tout de suite. Les plis bleus de sa burqa deviennent plus sculpturaux et dissuasifs que d'ordinaire. Bea soupire.

« Philip, tu ne peux pas demander à tous les gens que tu rencontres de les peindre – en plus de tout, tu es un coureur de jupons invétéré. »

Ses sourcils se soulèvent et il me montre du doigt.

« Je ne lui ai pas demandé – *à elle*. »

Bea soupire à nouveau.

« Mais tu le feras. Tu as même demandé au facteur l'autre jour. »

Il répond du tac au tac :

« Oui, mais c'était *une factrice.* »

Bea hausse les épaules. Pour changer de sujet, Mary saisit le premier prétexte et me demande :

« Comment avance ton écriture ? Où en es-tu avec ton livre sur la grand-mère que tu n'as jamais connue ? »

Philip étend ses jambes et plonge ses mains dans les poches de ses jeans.

« Obsédée par des absents. » Il m'adresse un sourire éclair, avant d'ajouter : « Je peux comprendre ça. »

Et ses yeux retournent sur Mary.

Nous avons nettoyé les biscuits, et la théière est vide et froide. La pièce, autour de nous, attend.

15

MITALI

J'AIME LA COULEUR GRISE. Elle est tendre comme la brume, comme la fumée, les ânes et la pluie – comme le chat. Il pleut épisodiquement avec un vent froid du sud. Une journée hivernale s'annonce, et les gens marchent d'un pas plus vif. La terre est plus dure à creuser, et Mitali est heureuse. Elle aime le froid. Sa courte veste en cuir et son foulard jaune me rappellent *Tintin au Tibet*. Même si elle travaille d'arrache-pied, mystérieusement la boue ne tache jamais ses vêtements.

Mitali revient tout juste d'Allemagne. Elle a enfin été voir, avec Ian, la mère de son amie morte.

« Olga a été notre premier sujet de conversation », je lui fais remarquer.

Son regard tombe sur moi.

« Tu te souviens toujours de la première chose dont tu as parlé avec les gens ? »

Un rideau transparent de pluie s'abat sur mon visage.

« Peut-être que ce premier échange est un abrégé de tout ce qui se passera par la suite entre deux personnes. »

Mitali secoue la tête.

« Alors on est prévenu si ça doit devenir un foutu désastre, et on continue quand même. Pas vrai ? »

Je lui fais une grimace. Elle rit soudain comme si c'était moi qui avais dit quelque chose de drôle. Je me rends compte que c'est seulement la deuxième fois que j'entends son rire, qui ressemble à un hoquet.

« Tu sais, si Jill Meagher n'était pas morte à ce moment-là, je n'aurais pas vécu la mort d'Olga de la même manière. Je ne l'aurais pas vraiment comprise, je n'aurais peut-être même pas eu les couilles de rencontrer sa mère. »

Nous sommes encore agenouillées comme nous le serions dans une église. Nous plantons des graines et les laissons reposer dans leurs minuscules tombes. Kim se fait opérer d'une dent de sagesse et ne sera pas là pour veiller sur nos activités pendant deux jours. Je l'imagine, stoïque sur sa chaise de supplice, regarder sans ciller une gravure d'Angkor Vat ou de Stonehenge. La pionnière en elle jamais ne se plaint, ni ne s'explique.

Être seule avec Mitali est un bonus pour moi. Elle me fait penser à cet homme qu'on appelle de village en village. Rien en lui ne sort de l'ordinaire. Il s'installe, poursuit ses occupations quotidiennes, vivant en tous points comme les autres villageois, mais il est le « faiseur de pluie » − quand il est là, la pluie vient toujours. Peut-être est-ce la qualité même de la tristesse ou de la joie de Mitali, peut-être est-ce sa façon de jurer comme un charretier, qui fait d'elle *mon* « faiseur de pluie ».

Les animaux vous regardent comme s'ils vous entendaient penser. Mitali est pareille, les yeux fixés sur moi, elle fronce les sourcils.

« À part Ian, tu es la seule personne à qui je peux parler de mon frère. Parfois, quand je te vois, il s'approche, il est presque là. Comme si un éclat de lui t'était mystérieusement parvenu, comme s'il avait ricoché, comme s'il avait déteint. Quand je te vois, bordel, il n'est plus aussi mort ; comme si vous étiez, toi et lui, de la même nature. Merde. Je sais que c'est dingue. »

Je me baisse et regarde des mottes de terre. Notre silence est si plein que je ne sens même plus l'air, ni la pluie. Je sais que je ne peux rien répondre. Le moindre mot de travers, et notre amitié pourrait se casser net comme du cristal.

Nous continuons à travailler dans un jardin clairsemé qui vient d'être créé autour d'une maison trop maquillée, sentant la peinture à plein nez. Pourtant, les gestes nous viennent facilement aujourd'hui et le travail se fait tout seul. Au bout d'un moment, Mitali se met à me raconter son voyage. Elle se balance en arrière sur ses talons et regarde droit devant elle.

« Nous avons découvert que la mère d'Olga était poète, et c'est un putain de bon poète. Ian m'a acheté une traduction de son travail là-bas. Elle vit à la campagne, à proximité de Hambourg, près d'un lac. J'ai aimé l'air, les arbres, même les nuages. Bien sûr, c'était un ciel différent, une eau différente, des cris d'oiseaux différents, mais là n'était pas l'explication. C'était le lieu lui-même – *son lieu*.

Est-ce que tu savais qu'au Moyen Âge les gens croyaient que l'enfer était une terre sans oiseaux ? »

Je lui souris.

« Non, Mitali, mais c'est drôlement beau. Comment sont-ils, les poèmes de la mère d'Olga ? »

Elle se tourne pour me regarder.

« Lumineux, presque japonais... Ils chatoient sur la page tels ces paysages délicats entre chien et loup peints à l'encre noire. Puis ils vous sautent dans le cœur avec des foutus parfums d'infini. »

Mitali creuse encore quelques tombes.

« Nous avons à peine parlé d'Olga. Pas parce qu'elle ne pouvait pas supporter d'y faire allusion – mais, simplement, le fait d'être ensemble était suffisant. Elle savait bien pourquoi j'étais là. »

« Tu l'avais déjà rencontrée ? » je demande.

Mitali me regarde férocement, comme si ma question était inepte.

« Non. »

Je fronce les sourcils.

« Mais... »

Elle pivote vers moi et grogne :

« Je vais te dire pourquoi nous sommes allés voir la mère d'Olga. J'ai tué sa fille. Ça te suffit comme raison ? »

Je m'assois sur les talons et je respire lentement. Le jardin tout entier devient une bombe à retardement.

« Oui, Mitali, ça devrait suffire. »

Elle se calme après ça.

« J'avais loué une voiture et emmené Olga sur Great Ocean Road. Je portais des tongs. L'une d'elles s'est prise dans l'accélérateur et j'ai planté la bagnole dans un poteau télégraphique. Bien sûr, moi, je n'ai rien eu. Olga semblait aller au départ, juste des problèmes de nuque, et une migraine qui ne voulait pas passer... Ils ont fait des tas d'examens. Elle est rentrée en Allemagne quelques jours plus tard. Mais, une fois arrivée, après le vol, avec le décalage horaire, après Dieu sait quoi, elle est tombée dans le coma et elle y est restée pendant un an avant qu'ils n'éteignent la machine. »

Elle s'arrête et passe le dos de sa main sur son front comme si elle était en nage. *Dieu merci, nous sommes dans un jardin*, je pense, en écoutant les secondes tomber, semblables aux gouttes d'un robinet défectueux. Mitali, immobilisée par ses propres mots, lâche sa truelle. Je me demande pourquoi elle a choisi de m'en parler, mais elle poursuit :

« Quand elle était étudiante ici, Olga s'était seulement liée avec moi. Puis elle est revenue, pour me voir, et pour rencontrer Ian – pas pour mourir, pas pour être tuée ici. »

Mitali est elle aussi assise sur ses talons maintenant.

« Je voulais aller à l'hôpital, mais sa mère m'a écrit en disant que ce serait mieux que je vienne quand elle se réveillerait. J'ai fini par faire le voyage, mais après sa mort. »

« Comment était ton amie Olga, Mitali ? »

Son visage se tord vers moi.

« Elle était grande... »

Mitali lève le bras vers les arbres.

« ... oh, si grande. Ses yeux étaient deux fentes bleues et glacées. Elle avait des pommettes aplaties, de longs doigts maigres aux ongles rongés, et elle marchait avec fierté, mais sans arrogance. »

Soudain, l'image de son amie commence à sourdre de Mitali, et je vois Olga aller l'amble dans le jardin, secouer sa crinière, ses yeux pâles jetant des regards impatients, sans rien observer ni remarquer.

« Une fois, elle est revenue assez agitée d'une visite chez le pharmacien, en disant : "Je ne crois pas qu'il ne m'apprézie beaucoup ce pharmazien." La connaissant, j'ai pris ça pour une sacrée litote. Je lui ai demandé ce qui s'était passé. Elle était allée chercher un remède naturel allemand. »

Mitali lance un sourire en direction des nuages et reprend avec l'accent allemand :

« Eh, bien, je leur ai demanté de me préparer za. J'afaiz avec moi la boudeille allemante t'origine avec les inkrétiends zur l'étiquedde. Tout ce qu'ils afaient à vaire édait te copier. Mais non, il m'a tit qu'il afaid un remète équivalent auzdralien. Alors je lui ai demandé drès poliment : s'il afaid le choix entre une foidure Holden J.F. et une Mercedes, laquelle choiziraid-il ? Une foidure qui allait plon, plon, plon à travers le dézert, ou une foidure qui allait froom, froom, froom sur l'*autobahn ?* »

Mitali sourit à travers ses larmes. Sa peau, tendue sur ses pommettes, luit comme du miel. Je regarde la maison trop fardée dans les ombres plongeantes. Elle joue avec sa truelle.

« Tu comprends pourquoi j'avais besoin d'aller en Allemagne ? Il le fallait. Je m'étais préparée à tout, mais je ne m'attendais pas à ce que ce soit si facile, si... »

Elle s'interrompt un moment avant de reprendre :

« Hambourg n'a rien de sexy. Un lieu réservé et calme, de collines fatiguées, presque essoufflées – des verts opaques, des ciels lourds, une beauté congestionnée de *Hausfrau*. Quant à la maison de la mère d'Olga – il n'y avait pas vraiment non plus de quoi s'extasier. Allemande, propre, des poubelles de recyclage avec des étiquettes, des pots de confiture avec des étiquettes, des chambres à coucher comme des dortoirs individuels. Mais, bordel, ses poèmes, c'est vraiment quelque chose. »

Elle secoue son nuage de cheveux noirs.

« Dès que nous avons eu franchi la porte, c'était comme si nous avions toujours été là. Soudain, il n'y avait plus aucune nécessité d'expliquer quoi que ce soit. C'était la première fois de ma vie que je voyais cette femme. Mais bientôt nous étions en train de faire les gestes de tous les jours ensemble. Nous prenions le thé, le petit déjeuner, nous parlions dans le jardin, nous nous promenions, nous lisions près du feu, mais ce que nous faisions n'avait pas d'importance – nous étions sacrément heureux, tous les trois, même si c'était le chagrin, pire que le chagrin, qui nous avait réunis. Elle vient nous voir l'année prochaine. Juste avant notre départ elle m'a donné quelque chose d'Olga. » Elle effleure son foulard jaune. « Rien d'autre n'était nécessaire, ni explications, ni condoléances, ni même les circonstances de la mort d'Olga. »

Elle relève la tête.

« Tu peux y croire ? Une telle proximité, vraiment, une proximité à peine définie, émergeant doucement du chaos. »

Je cesse de creuser et je regarde son nuage de cheveux, sa nuque mince, sa propreté indienne qui me donne toujours l'impression que je pourrais manger par terre chez elle, son sourire impatient qui vous défie avant même que vous puissiez articuler une réponse. Sa présence m'aide toujours à entendre le grand pouvoir de la douceur tout autour de nous, comme le font les êtres sauvages. Une pie atterrit tout près et je demande :

« Tu te souviens de Bea ? »

« Oui, bien sûr que je m'en souviens, nous avons travaillé plusieurs fois dans son jardin. Tu t'es bien entendue avec elle, non ? Ça ne m'a pas étonnée. »

Je referme une petite tombe et je tapote la terre au-dessus d'elle pour caler la graine bien au chaud :

« Tu as raison, je m'entends bien avec Bea. Elle m'a dit que les gens mouraient petit à petit. Ils commencent par jouer le rôle de la personne qu'ils étaient auparavant, mais ils se comportent machinalement – déjà ils ne sont plus vraiment là. C'est arrivé au père de Bea. Ils n'étaient pas proches. Sa mort s'est révélée la réitération d'une absence. Les derniers temps, elle avait envie de soulever les paupières de son père pour voir s'il était encore derrière. »

Le front de Mitali se plisse à nouveau.

« La dernière fois qu'Olga est venue à Brunswick, elle était différente – de nouveau étudiante, une étudiante mais pas Olga... Peut-être qu'Olga avait commencé à mourir à ce moment-là... »

Je cesse de planter.

« Peut-être que même la victime d'une mort accidentelle commence à mourir avant d'être tuée. »

Mitali continue à travailler sans lever la tête, sans répondre.

« Peut-être que notre vie trouve simplement un moyen de nous quitter quand notre histoire est finie, quand nous avons chanté notre dernier couplet. Peut-être qu'il n'y a plus de pièces pour finir le puzzle. »

« Toi et tes *peut-être*... »

Ses sourcils se froncent d'un coup. Elle pense à son frère, c'est sûr. Pari facile.

« Je l'ai tué lui aussi, tu sais. »

Son ton banal rend sa réflexion encore plus surprenante.

« Je l'ai débranché. Il était cliniquement mort, maintenu en vie par un appareil de réanimation. Les docteurs nous ont demandé si nous préférions qu'ils le fassent ou si nous voulions nous-mêmes nous en occuper. Ils m'ont tous regardée. Je n'avais pas le choix. *Il* aurait voulu que ce soit moi. »

Elle ne bouge plus maintenant, ni le jardin, ni moi non plus.

« Merde, pourquoi est-ce que je te raconte tout ça ? »

J'attends un peu, puis je demande :

« La mère d'Olga. Elle a mis un peu de baume sur tout ça, non ? »

Mitali se tourne complètement pour me regarder.

« Oui, c'est vrai. »

Nous échangeons un regard comme si nous comparions les poids respectifs de nos deux vies. Mes mains enterrent la graine suivante plus profondément qu'elles ne le devraient. Il lui faudra ramper et se battre pour atteindre la surface. Peut-être que notre histoire, celle de Jack et moi, est terminée et, comme cette graine, gît trop profondément dans sa mémoire pour être ramenée. Soudain, je sens les paumes de Mitali guider ma truelle et remonter la graine. Je sais qu'elle ne supervise pas mon jardinage. Nous regardons toutes les deux le ciel, qui semble encore plus immense que d'habitude, aussi inatteignable que le plafond blanc que l'on fixe d'un lit d'hôpital. Après ça, la meilleure chose à faire semble de se remettre au travail et de la fermer.

Quand ça arrive, comme toutes les choses auxquelles on ne s'attend pas, l'événement semble presque normal. Mitali ploie vers la terre, s'écroule au ralenti sur elle-même, puis reste étendue là. Je remarque sa main à moitié recroquevillée comme une feuille. Le restant de son corps pourrait être tombé du ciel. Je sors de ma transe. Des instructions à moitié oubliées me sautent à l'esprit. J'essaye de sentir son pouls sur son poignet, près de son cou. Je ne trouve rien. J'attrape mon téléphone et je fixe l'écran une seconde avant de taper les trois zéros des urgences. Une voix féminine me répond et je demande de l'aide. J'explique où nous sommes. Je décris l'évanouissement de Mitali. Elle me dit d'attendre près d'elle, de la couvrir si possible. Je me déteste de ne pas en savoir davantage sur les premiers secours. J'arrache mon blouson pour la couvrir, et je mets une oreille contre son cœur. Il bat. Puis je laisse un message à Ian.

Le temps est de nouveau une goutte d'eau qui ne veut pas tomber. Tout le ciel d'hiver se penche au-dessus de nous. Nous devenons aussi infimes, aussi infinies que ce lent goutte-à-goutte. Mais soudain l'ambulance est là, garée dans la rue derrière la barrière. Deux ambulanciers, un homme et une femme, remontent l'allée. La scène est onirique. Je les contemple, sans réaliser lequel a ouvert la barrière, lequel marche devant l'autre ; tout ce que je perçois est une vague de calme urgence, qui surgit, s'agenouille, prend son pouls, ausculte, soulève ses paupières, ouvre sa bouche et fait une piqûre à Mitali en un seul courant fluide. En même temps, ils me posent des questions. Puis, en un tour de main, elle est allongée sur une civière, plus légère, plus frêle encore que d'habitude. Ils la soulèvent si facilement, l'emportent si vite, que je dois courir après eux, me sentant raide comme dans ces cauchemars où l'on est empêtré dans un air sirupeux. Bientôt nous sommes dans l'ambulance. Ils me fournissent doucement les informations, m'expliquant qu'elle a probablement eu une rupture d'anévrisme. J'envoie un message à Ian pour lui dire à quel hôpital ils la transportent.

Quand l'ambulance arrive aux urgences, il est déjà là. Il devait savoir que ce serait forcément au Royal Melbourne. En courant vers la civière, Ian contient tout dans

son regard tranquille. Il semble le même – sauf son
visage, plus blanc que tout le blanc de cet hôpital. Il a à
peine le temps de se pencher au-dessus d'elle ; ils la
poussent déjà à l'intérieur. Une femme du bureau d'informations s'avance et lui explique ce qui se passe, combien
de temps il devra attendre avant de la voir. Puis, Ian et
moi, nous nous retrouvons assis l'un à côté de l'autre. Il
a les coudes sur les genoux et se tient la tête dans les
mains comme si elle allait tomber. Je n'ose ni bouger
ni parler. Quand il me demande ce qui s'est passé,
je réponds de la manière la plus courte et la plus claire
possible. Je ne dis rien de consolant. Je me contente
d'attendre avec lui, nos épaules, nos genoux se touchant
sans que nous en soyons conscients. Nous attendons –
une demi-heure, trois quarts d'heure. Puis la femme du
bureau d'informations fait signe à Ian d'approcher. Il
peut aller la voir maintenant. Je traîne à l'arrière-plan,
mais il m'attrape le bras. Je sais soudain qu'il a peur. Je
reconnais la peur animale de la perte.

Bientôt nous sommes dans une pièce très éclairée sur
la droite du couloir. Mitali est allongée dans un lit métal-
lique, elle semble minuscule avec son nuage de cheveux
épars sur l'oreiller blanc. Ian s'avance vers elle avec une
sorte de précipitation au ralenti, comme si ce temps à
attendre avait engourdi ses longs pas. Il se penche sur
son visage sombre, et c'est seulement à ce moment-là
que j'aperçois les yeux de Mitali. Ils sont ouverts. Elle a
un goutte-à-goutte. La pièce est une petite salle de
soins avec son rideau de chaque côté de l'ouverture, un

théâtre avec Mitali offerte en ex-voto à quelque peur innommable.

J'attends sur le seuil et je les regarde. Un docteur se présente et leur explique qu'elle vient en effet d'avoir un petit anévrisme, qu'il lui faudra suivre un traitement et être surveillée régulièrement, mais qu'elle devrait pouvoir rentrer chez elle demain. Ian demande s'il peut rester la nuit et ils sont d'accord. L'anxiété s'évacue de son visage. C'est le moment pour moi de m'en aller.

Je marche le long d'un couloir de l'hôpital, bordé de plus petites pièces, avec des rideaux plus courts rejetés de chaque côté, chacune avec son lit de purgatoire et son patient exposé. Puis le jeune docteur qui avait donné le diagnostic de Jack me croise – je le reconnais, mais il ne se souvient pas de moi.

16

Sydney Road

Une semaine passe, et puis une autre. Avec l'absence de Mitali, mes journées deviennent les ombres d'elles-mêmes. Ce soir, je vais la voir chez elle. Quand je sonne à la porte, Ian m'accueille naturellement, comme si j'étais un membre de sa famille réapparaissant inopinément. Il tend la main en direction du jardin et me suit quand je vais la retrouver.

Nous découvrons Mitali en train de jardiner douce-ment, plantant un grevillea. Son côté garçon manqué semble avoir disparu. Ian se tient debout derrière moi, les mains dans les poches. Elle s'assoit sur ses talons quand j'arrive et me donne une chiquenaude avec son gant boueux. Je m'assois près d'elle sur le sol. Soudain, tout est comme avant. Elle jure contre les médicaments ou contre les inquiétudes de Ian, mais son ton a perdu de sa hargne.

Quand je les quitte, il fait encore jour. Les melaleucas sans bras, à la sève inimaginable, habillés de leurs plis et de leurs replis, m'accompagnent dans la rue. Je marche vers la maison vide. Le jardin paraît essoufflé, appauvri.

Mon portable sonne dans ma poche. C'est Mary. Au début, je ne comprends pas ce qu'elle raconte. C'est à propos d'un vernissage.

« Tu te souviens de Philip Paulson ? C'est son exposition, ses dernières toiles. Tu dois venir, s'il te plaît. Je ne peux pas faire ça sans toi, mon vieux poteau. »

Je souris mais, avant que je puisse dire quoi que ce soit, elle continue :

« Sarah sera là avec mon père. Ils débarquent tous les deux. S'il te plaît... Écoute, je sais qu'elle t'a dit qu'il était vivant. »

« Avec ton père... »

Il me faut une seconde ou deux pour digérer, puis j'embraye :

« Mais c'est fantastique, Mary ! »

Mary n'est pas aussi enthousiaste.

« Ils vont probablement s'engueuler sur tout le chemin, puis se raccommoder avec une partie de jambes en l'air... Enfin, quoi qu'il en soit, c'est *maintenant*. Je ne voulais pas y aller, mais j'ai changé d'avis. C'est sur Sydney Road, juste au coin de la rue pour toi. Alors, tu n'as aucune excuse. »

Malgré tout, elle me dicte l'adresse d'un ton grave, comme si c'était à l'autre bout de la planète. À l'entendre me supplier et s'expliquer, on croirait qu'elle me demande d'assister à sa décapitation en place de Grève.

« Écoute, répète-t-elle. Philip a peint un tableau de moi et a inclus le machin dans son expo. Le tableau est *ici*, à Brunswick. » Elle s'accorde un petit silence, et ajoute :

« C'était une décision de dernier moment. Maintenant, c'est fait. Je suis déjà là-bas. Et ils vont voir ce tableau *tous les deux*. »

Bientôt, une poignée d'arrêts de tram plus tard, je me retrouve sur Sydney Road. Je scanne la foule qui déborde dans la rue – des filles en chaussettes vives et en grandes bottes ; des beautés, chevilles fines et taille fine, aux cheveux blancs et smoking noir ; des hommes en t-shirts avec des jeans serrés et des cravates minces de pendus ; toute une gamme de lutins, de géants, de divas et d'universitaires branchés, canette de bière à la main. L'entrée de l'exposition est dans une ruelle, cachée au milieu d'entrepôts, de graffitis et de grandes poubelles – la musique est plein pot. Puis on monte quelques marches vers un grand espace blanc.

En grimpant ces marches, je n'ai aucune idée de ce que je vais trouver. Le coup de téléphone de Mary n'a toujours ni queue ni tête. Pourquoi était-elle si inquiète ? L'éventualité des retrouvailles de ses parents ne peut pas la rendre si malheureuse que ça. Quand je franchis le seuil, je cherche une burqa et je n'en vois aucune. Il n'y a pas non plus de tableau de femme en voile bleu.

Je reconnais Philip, au milieu d'un long mur couvert de toiles. Il est debout à côté d'une fille blonde. Ses cheveux sont coupés à la Louise Books. Ses sourcils ont une courbe délicate, et celle de sa joue semble avoir été dessinée par une invisible caresse. De tous les détails de son visage émane un frémissement de beauté, renaissant de chaque nouvelle expression. Mais, quand elle se retourne vers moi, je vois que son autre profil est marqué, de la tempe au menton, par une cicatrice qui a la forme d'un grand poisson violacé, nageant sur le côté de sa joue. *Elle a été brûlée, tout comme ta grand-mère*, me chuchote une voix dans ma tête. La fille me regarde fixement. Je sais soudain que c'est mon amie Mary. Je m'avance vers elle.

Philip et Mary sont debout devant une grande toile. Elle est accrochée exactement au milieu de toutes les autres, qui paraissent converger, avec la foule de ceux qui se frayent un chemin jusqu'ici, jusqu'à l'image de ce visage, de cette fille qui émerge de sa burqa, une flaque bleue à ses pieds. Elle est peinte comme une toile du Greco, avec des stries de couleur où la puissance et le doute se marient pour former une image de sa beauté mutilée qui demeure, pourtant, intacte.

C'est le tableau d'une femme, les deux pieds bien plantés sur la terre de Brunswick. Plutôt qu'une image, il s'agit davantage d'un son, presque d'un cri. Il ne s'agit ni de beauté, ni de laideur, ni de terreur, ni de séduction, mais d'un peu de tout cela à la fois, une part d'humanité acceptée telle qu'elle est – respirant parmi nous, entière.

La premier ministre Julia Gillard vient d'être évincée de la scène politique. Les répercussions de la nouvelle vibrent par vagues dans les conversations de la pièce. Il y a quelque chose de sereinement pertinent dans le tableau de Philip. Cela n'a rien – et tout – à voir avec la politique. Malgré lui, cependant, il aura créé pour certains une figure sacrificielle – quand tout ce qu'il a fait, il me semble, est de peindre un être humain. Un être humain comme Jill Meagher, comme l'ex-premier ministre Julia Gillard.

Je m'approche et Philip me serre la main.

« J'ai réussi à la peindre en fin de compte, hein. »

Ses yeux tranquilles et bons fixent les miens sans une ombre d'inquiétude. Nous pourrions aussi bien nous retrouver en plein champ pour partager un pique-nique au soleil. Philip et Mary se tiennent côte à côte sans se toucher, telles des colonnes sur une île grecque. Rien ne reste du temple en haut de la colline à part ces colonnes contre le ciel.

Le visage de Mary réoccupe l'espace qui lui était alloué. Ses yeux et son urgent demi-sourire me demandent de me débarrasser de mes questions. Elle s'approche.

« Ils vont tous les deux voir mon visage – en même temps. »

Sa tête bouge d'un côté, de l'autre, un peu comme dans un exercice pour le cou.

« Tu vas rester, hein, jusqu'à ce qu'ils s'amènent ? »

Je promets. Je n'ai aucun commentaire à faire sur sa cicatrice, qui semble étrangement faire partie d'elle. Philip soupire :

« Ces idiots », il a un geste de dégoût envers le reste de la pièce, « ils vont y lire quelque chose de politique. Je vous parie n'importe quoi. Bordel, je les entends déjà. »

Il pose son regard sur Mary.

« C'est bien plus sexy que de déshabiller une fille, je peux te le dire. » Les yeux de Philip caressent le profil brûlé et son ton change : « Je suis *obsédé* par la beauté. Je croyais que je *comprenais* la beauté, quelle erreur. »

Plutôt qu'un visage défiguré ou un visage sublime, il m'apparaît soudain qu'il a peint tout ce que je ne suis pas arrivée à tirer au clair cette année, tout ce que Brunswick n'est pas parvenue à résoudre – une femme.

Puis des gens interpellent Philip, et Mary me chuchote : « Ils sont là. »

Je me retourne et je vois Sarah et un homme que je présume être Gerald. Sarah n'a aucune expression. Elle se dirige droit sur nous. Gerald a des yeux d'un bleu perçant avec une expression frénétique. Mais, une fois qu'il s'est rapproché, il devient évident que c'est le bleu électrique de ses yeux qui leur donne leur étrange intensité. C'est le bleu du regard de Mary. Maintenant, Sarah est à côté de sa fille. Elle ne dit rien d'abord. Puis les mots sortent de sa bouche avec une voix que je ne reconnais pas :

« Pourquoi ne me l'as-tu pas dit ? Pourquoi l'as-tu caché si longtemps ? »

Sa voix est crue, comme de la viande, dans cet endroit si blanc. Gerald se tient près d'elles. Il n'est pas très grand, mais il a une présence de footballeur. Ses mains s'avancent pour aller enlacer leurs épaules à toutes les deux, mais elles retombent avant, et il tire sur le foulard noué autour de sa gorge – son regard bleu ne se détache plus du visage de sa fille.

La réponse de Mary est rauque et tranquille :

« C'était un accident, *Mum*. Je prenais des photos pour un projet de mise en page, sur un chantier... » Avant de se

concentrer à nouveau sur Sarah, elle lance un regard à son
père : « ... pour un magazine. Il y a eu une explosion et j'ai
subi une brûlure électrique. Je ne pouvais pas supporter
qu'on me voie. Sam m'a aidée à simuler un soudain
intérêt pour l'islam. Il m'a vraiment aidée... »

Il y a un silence, comme de la mousse poussant entre
les arbres, comme un rideau de pluie tombant pour toujours. Mary le brise :

« J'ai vu l'expression des gens qui sont venus à mon
secours au moment de l'accident... Je ne pouvais pas le
supporter. J'ai découvert ma soi-disant beauté au jardin
d'enfants. J'ai soudain réalisé que j'étais comme une
devanture de pâtisserie devant laquelle les gens font
des oh et des ah. Si je ne faisais pas attention, je ne
ferais plus partie de la réalité. Tu te souviens du jardin
public, avec les balançoires et les manèges en bois, au
bout de la rue où nous habitions ? J'y suis allée
toute seule un jour, et j'ai juré aux foutus arbres que je
ne ferais jamais semblant, que je ne serais jamais une
princesse de conte de fées. Chaque fois qu'ils venaient
me dire que j'étais la fille de leurs rêves ou une connerie
de ce genre, ils avaient la même expression dans leurs
yeux. Cela nous rendait tous minables, eux et moi. Je
n'étais qu'une mioche, mais je savais déjà qu'il s'agissait
de *mort*. Pourquoi crois-tu que la Belle au bois dor-
mant a roupillé pendant cent ans ? Parce qu'on ne lui
permettait pas d'être un véritable être humain. J'ai
reconnu ce regard au moment de l'accident. L'admi-
ration, l'horreur, quelle est la différence ? Ma vie était

revenue à son point de départ. Ce n'était pas tenable. *Mum* ? »

Je regarde tous les yeux rivés sur elle. Ceux de Philip Paulson, qui semble vouloir tout accueillir. Ceux de Gerald, aussi immobiles et désaxés que les sculptures de Sarah. Ceux de Sarah, qui hoche la tête lentement, remuant les lèvres comme si elle se débattait pour ne pas pleurer.

« Je ne comprends pas tout à fait ce que tu dis Mary, mais je crois que j'aurais réagi comme ça aussi. J'aurais eu peur de la pitié. Nous sommes des dures à cuire, pas vrai ? »

Et son regard franc, honnête, est un cadeau qui dit : *Ça ira.*

Les mains de Gerald viennent soudain se poser où elles désiraient se trouver – une sur chacune de leurs épaules.

Je sens qu'il est temps pour moi de m'en aller. Rester serait une intrusion, en dépit de la foule. Il fait nuit à présent, mais Sydney Road est remplie de lumières.

17

Augures

Un soir, le chat me suit jusque chez moi. Il franchit le seuil comme si la maison lui appartenait. Sans même se donner la peine de renifler, il vise directement la cuisine. Je lui propose l'offrande féline traditionnelle : un bol de lait. Plusieurs boîtes de conserve de thon sont empilées dans le placard et une chatière était déjà installée. Tout semble naturellement prêt pour l'accueillir. Il se dirige ensuite vers le canapé et s'installe sur une couverture pliée, avant de lentement tourner la tête dans ma direction. Son attitude est la même que dans la rue – le même vieil Humphrey Bogart. Il me donne ma chance. Je la reconnais. C'est une étrange occasion que je ne peux définir. Je l'observe sans tenter de le caresser.

Il est à peu près sept heures du soir. Je me conçois plutôt comme une personne qui préfère les chiens. On peut toujours surprendre un chien en train de haleter, de ronfler, de soupirer, alors que cet être gris ne semble pas respirer du tout. Les chats ne font généralement pas partie de mon Parnasse, mais, du premier jour, celui-ci a été une catégorie à lui tout seul. Je ramasse un livre et me cale à l'autre bout du canapé. Son regard magnanime nous berce, moi et ma lecture. Il supporte même les couinements de mon portable : c'est Bernice qui demande si j'aimerais venir prendre un verre. Je regarde le chat. Sa bienveillance n'a pas changé. Sa tête repose sur ses pattes et son bâillement semble dire : *Vas-y, ça te fera du bien.*

« Viens, s'il te plaît », insiste Bernice.

Je lui réponds que je serai chez elle dans dix minutes, mais je ne bouge pas encore. J'écoute la respiration du chat. Je ne peux toujours pas l'entendre, mais sa présence crée une différence dans la pièce. Je lui dis doucement que j'espère qu'il sera là quand je reviendrai. Puis je vais chercher mon manteau. En route, j'envoie un texto à Mitali pour lui raconter Bogart. Nous avons embrayé sur un autre mode. C'est étrange d'être obligées de s'envoyer des textos plutôt que de nous voir tous les jours. Nous convenons de nous retrouver le lendemain.

Les rues sont étrangement vides. Mes pas sont avalés par l'hiver. Je sens soudain que j'aurais préféré rester avec le chat. Puis je l'imagine reniflant les lieux méticuleusement, dans tous les coins. Cela semble juste de lui accorder un peu d'intimité. J'ai lu quelque part que les chats sont les vrais propriétaires de la maison. Quand j'atteins la rue de Bernice, l'écho des voitures filant sur Lygon Street s'amenuise, pour ne plus émettre le bruit d'un fouet cinglant l'air mais plutôt celui d'un frottement d'allumette. Brunswick m'accueille en un autre de ses lieux cachés, un village de maisons victoriennes et

édouardiennes, un peu formelles, mais confortablement
nichées. Je franchis la barrière de son jardin et je frappe à
sa porte. Même la qualité du ciel semble différente.

Je ne l'ai pas vue depuis deux, peut-être trois mois. Je
ne sais même pas si elle a surmonté ses hésitations et
poursuit son projet de bébé ou si elle se torture encore
avec des rencontres sur Internet. Au lieu de Bernice, un
homme m'ouvre la porte. C'est Francis, un des deux
archéologues, celui dont la mère est morte dans le bush.
Nous nous serrons la main et il m'invite à entrer avec un
sourire accueillant.

Quand nous franchissons le seuil de la cuisine, Bernice
pousse un cri perçant. Ses bras se tendent vers moi et ses
doigts souples tombent sur mes épaules, m'attirant à elle.
Elle est plus ronde, me semble-t-il, et son visage plus
enfantin que jamais. Elle me chuchote à l'oreille :

« J'attends un *bébé*. Cela commence à *se voir*. »

Mais, quand elle se recule en me souriant, je constate
qu'elle n'a pas changé. La même lumière candide brille
dans ses yeux, la même insondable pureté. Je la dévisage
sans rien dire. Que peuvent ajouter les mots à l'arrivée
d'un nouvel être humain, avec un cœur, des yeux, des
mains, des pieds, et une âme pour compléter le tout ?
Bernice a un petit rire.

« Je savais que tu serais heureuse pour... moi. »

Je remarque qu'elle trébuche sur le dernier mot. Puis je
ne peux m'en empêcher, je demande :

« As-tu acheté un landau Silver Cross ? »

Ses yeux s'agrandissent.

« Tu sais... », et elle fronce les sourcils en réalisant soudain, « je n'y ai même pas pensé. »

Juste à ce moment-là, je remarque un autre homme, assis sur un tabouret avec un sourire de guingois. Bernice me pousse vers lui.

« Tu te souviens de Harry ? »

Je hoche la tête et lui serre la main.

Bernice se tasse sur une chaise devant sa table de cuisine, et je m'assois aussi. Francis et Harry ouvrent des placards ou, jambe pendante, se perchent sur des tabourets, aussi apprivoisés que des chats. Bernice a un grand soupir :

« Je suis sûre que je vais avoir des jumeaux. C'est tellement courant dans ma famille... Ce serait un peu beaucoup. Je ne sais pas si je pourrais m'en tirer. »

Francis se tape sur les cuisses.

« Ça ne sera pas trop, bien sûr qu'on se débrouillera. »

Harry lâche un rire :

« Même si c'est des triplés. »

Il y une énergie flottant dans l'air, comme un pacte. La cuisine est vibrante, sa lumière a la chaleur d'un jaune d'œuf. Bernice a fait un gâteau à la farine d'amande et il y a de la feta, des biscuits de riz, du cidre – pas de vin à l'horizon.

« Comment va Mitali ? »

Bernice est une station de radio ambulante, ses ondes relient toutes les préoccupations du village de Brunswick. J'explique que l'anévrisme de Mitali n'était pas une rupture. Cela appuyait simplement sur cette région du cerveau, ce qui lui a fait perdre connaissance. Il y a une très faible chance qu'elle en subisse un second. Ils ne sont pas encore sûrs de l'opérer. Harry tousse :

« Je connais son mari, Ian. J'ai lu sa thèse sur Kawabata et Tchekhov. C'est vraiment bon. J'ai peu lu Tchekhov et pas du tout Kawabata, mais j'ai dévoré sa thèse d'une traite. Est-ce que son accident va créer un grand changement dans la vie de Mitali ? »

Je regarde son visage roux et sérieux.

« Les docteurs semblent penser qu'elle ne pourra plus s'exposer à de gros décalages horaires. Elle aura besoin de voyager par petites étapes. Et, pour elle, le jardinage, c'est peut-être fini. »

En disant cela, je pense pour la énième fois au fait que ne plus voir Mitali chaque jour me manque. Kim parle déjà d'engager quelqu'un et je redoute l'idée qu'elle la remplace. Mais ce n'est plus aussi difficile de travailler avec Kim. Elle m'a même montré ses dessins, j'en ai eu le souffle coupé. Ma réaction a fait naître chez elle un sourire fier et gêné, le sourire de Mona Lisa si on la pinçait nue. Maintenant, quand elle m'explique le programme de la journée, je la comprends. Le « faiseur de pluie » a fait son travail.

Le front de Bernice se plisse.

« Ça va sacrément te manquer de ne plus jardiner avec Mitali, hein ? »

Je hoche la tête. Pas étonnant qu'elle ait le génie de la radio. Elle est purement et simplement sur la longueur d'onde humaine. La seule longueur d'onde qu'elle capte moins bien est la sienne. Cependant, cela a beau être exactement la même cuisine où je l'ai vue auparavant, il s'est passé ici un saut quantique. Ni Francis, ni Harry, ni le futur enfant, ne sont les seules explications. Il y a quelque chose de plus. Je regarde autour de la pièce, je regarde Bernice : ses belles mains semblent avoir trouvé leur refuge, elles reposent sur la table, elles me font même signe – comme on est parfois certain qu'un oiseau nous contemple du haut d'un arbre. Si le bonheur n'est pas une équation, si ce n'est pas la réponse à un rêve, alors cela doit être un oiseau sur la table de la cuisine.

Harry se frotte la mâchoire.

« Plus de jardinage ! Mais, si elle est jardinier, c'est ce dont son âme a besoin. »

Son visage a une pente obstinée et cela le fait d'autant plus ressembler à Raymond Carver. Francis descend de son tabouret et se balance d'un pied sur l'autre, les mains dans les poches.

« Le changement, ce n'est pas si mal. »

Bernice secoue sa frange et lui sourit.

« Non, ce n'est pas si mal. »

Francis lui lance un regard avant de continuer :

« Quand le changement est inévitable, comme un augure, c'est mieux de suivre le courant. »

Harry émet un grognement.

« Un anévrisme est peut-être inévitable, mais cela ne veut pas dire que cela plaise à Mitali. Qui apprécierait de ne plus pouvoir pratiquer sa vocation ? »

Il y a un silence. Bernice installe son menton dans ses paumes, Francis sort ses mains de ses poches.

« Personnellement – même si c'est une perte au départ –,
j'ai une sensation de soulagement quand il n'y a plus
de doutes, plus de tergiversations, plus de Freud, plus de
Lacan, comme lorsque tout dépendait des corbeaux, des
marées et des entrailles de poulet. »

Depuis l'accident de Jack, je ne me souviens de rien
d'inévitable, si ce n'est le flot glacé de la rivière Merri
battant contre mes jambes.

Bernice hoche la tête lentement, se penchant en avant,
les bras repliés sur la table.

« Comme avoir un bébé. Tout ce qu'on peut faire,
c'est suivre le courant. » Elle envoie un sourire étincelant à Harry, avant d'ajouter avec un pli entre les
sourcils : « Je ne pensais pas que ce serait aussi facile –
comme de nager. »

Ses mots sont aussi simples et forts que la lune. Les
deux hommes et moi, nous la dévisageons. Puis je
remarque trois carreaux qui se sont détachés du sol de
la cuisine. J'imagine les enfants de Bernice jouant avec
ou les enterrant dans le jardin.

Il y a un message sur mon portable. Je ne le lis pas, je
sais que c'est Kim me donnant le lieu et l'heure de rendez-
vous pour demain. D'habitude j'ai une « participation mys-
tique » avec mon téléphone, comme si un extraterrestre
était à l'autre bout de la ligne. Mais, ce soir, ma main ne le
saisit pas instinctivement. Ce soir, je reste dans la confiance dorée de cette cuisine – remplie de nouvelle vie.

Le terme « FIV » n'a plus franchi les lèvres de Bernice,
c'est comme un tour de passe-passe. Ni elle, ni Francis, ni

Harry, ne dispensent d'informations. Pendant une seconde, je me dis que le bébé a décidé d'arriver par ses propres moyens. Il est venu au bon endroit. Personne n'a honte, personne n'a peur. Personne n'est anxieux ni guindé.

Je ne tente pas de comprendre comment fonctionne leur arrangement. Bernice a trois chambres dans sa maison – la raison pour laquelle elle cherchait des locataires, bien qu'ils ne me donnent vraiment pas l'impression d'êtres des locataires ce soir. Harry et Francis sont trop à l'aise. Il est facile de les imaginer tous les trois en train de s'occuper du bébé quand il vivra ici dans quelques mois. C'est tout ce que j'ai besoin de savoir. J'étends mes jambes et j'avale un morceau de gâteau.

« J'ai encore six mois de grossesse, commente Bernice. C'est étrange, rien ne me fait mal. Je n'ai même pas de nausées. »

Harry secoue la tête :

« Et son émission de radio a toujours autant de succès. »

Bernice lève les yeux vers lui et il pose soudain ses deux mains rousses sur ses épaules. Je peux entendre le vent dehors, soulevant les rues. Derrière les portes-fenêtres qui donnent sur la cour intérieure, on dirait que c'est la nuit, mais ce sont seulement deux couvercles de nuages noirs comme de la fonte, prenant en étau un filet de lumière dans un sandwich d'obscurité. Brunswick est certainement le meilleur endroit pour installer un harem masculin.

« Alors, pour toi, le changement est toujours quelque chose de bon ? » je demande à Francis un peu tardivement.

Il hoche la tête.

« Dans nos fouilles à Melbourne, nous déterrons toutes ces histoires. Ils ont même fait venir un écrivain pour en rassembler les fragments. Avec chaque squelette, chaque tesson, chaque bout d'assiette, une histoire émerge, avec l'éclatante fraîcheur d'une nouvelle à la une. »

Il se frotte le visage avec ses paumes.

« Comme si nous chevauchions entre le jour d'aujourd'hui et un jour d'il y a cent cinquante ans. »

Harry cale ses pieds plus confortablement sur le barreau de son tabouret.

« Nous avons déterré le squelette de ce bébé l'autre jour, il avait été préservé dans une boîte de sable. On pouvait encore voir ses traits, son expression. Il devait avoir quelques jours quand il est mort. Cela arrive tout le temps. Le nombre de bébés qu'on trouve... Je peux vous dire, le site en est jonché... »

Une expression effarée envahit son visage. Pendant une seconde, personne ne réagit — assez longtemps pour que les mots de Harry restent suspendus dans la pièce comme des marionnettes démantibulées. Francis verse du cidre dans tous nos verres.

« Quand ma mère a été tuée par cette branche morte, j'ai commencé à fouiller dans son passé. Je ne savais presque rien de sa famille, de son enfance. Elle était de nature secrète. Puis j'ai découvert des choses que même mon père ne savait pas : elle avait été acrobate, elle parlait espagnol couramment, elle avait un demi-frère que nous n'avions jamais rencontré... et ainsi de suite. Cela m'a donné l'impression de dévoiler un monument. Cette enquête sur sa vie, à cause de sa mort, m'a progressivement mené à l'archéologie, sans que je prenne consciemment de décision. »

Bernice balance son pied et tapote le bras de Harry. À nouveau nous sommes tous enveloppés dans la lumière jaune d'œuf. Protéger Harry de ses maladresses semble partie intégrante de leur rapport avec lui. Harry me rappelle un des synesthètes du livre de Siri Hustvedt, *La Femme qui tremble*, qui entendent en couleurs et qui voient en sons. Les sens de Harry intercalent leurs messages. Sa sensibilité irradiante, débordante, ne peut ni filtrer ce qu'il ressent, ni ce qui lui jaillit des lèvres – une synesthésie du cœur. Et pourtant, avec ces deux êtres humains, Francis et Bernice, il n'y a pas de friture sur la ligne.

Quand je me lève pour partir, ils se dirigent tous avec moi vers la porte, rendant même la nuit, maintenant serrée comme un poing, accueillante. Ils se battent pour me raccompagner, mais je leur dis que je suis à cinq minutes et que je leur enverrai un texto quand je serai chez moi. Harry est aussi de ceux qui démarrent une conversation après que les adieux ont été échangés. Sa timidité semble l'abandonner sur les seuils. Il me dit précipitamment que l'équipe de football australien du quartier de Collingwood, les Magpies, a gagné hier contre l'équipe de la ville de Geelong, les Cats. En recevant son sourire de guingois, je lui touche le bras et lui rappelle le

coup de pied magique du joueur aborigène Krakouer
entouré de Cats :

« Tout semblait fini, Harry, et puis il a continué comme
si de rien n'était et le ballon s'est glissé dans le but sur un
rayon de lune. »

« Oui », il sourit de soulagement en m'attrapant le bras,
« c'était exactement ça. »

En m'en allant, je me retourne. Ils semblent si forts
devant leur porte, peut-être parce qu'ils possèdent la
chose la plus fragile au monde.

Cinq minutes plus tard, arrivée à quelques pas de chez
moi, je sors mon téléphone. Je vois la lanterne que je
laisse allumée dehors. Même si son tueur l'a approchée
dans la lumière aveuglante du magasin de robes de
mariées, quelque chose en moi laisse cette lumière
allumée pour Jill Meagher, comme si cela pouvait lui
indiquer le chemin à rebours, en un flash-back salvateur.
La différence entre les hommes et les femmes est peut-
être à la source de cette région de peur qui verse de
l'obscurité dans le monde, telle une lumière inversée. La
marche pour la paix le long de Sydney Road en mémoire
de Jill Meagher semblait un effort pour apaiser les foudres
de quelque déesse de terreur. Prenant le visage des tali-
bans, de Bush, de Ben Laden ou d'un violeur, cette
déesse se retourne sur nous, comme un spectre de Dürer,
chevauchant sa faucille à la main.

Puis je vois le bois décapé et poncé de ma porte
d'entrée. Parfois, j'imagine que la maison a été construite

autour de cette porte plutôt que l'inverse. Je me demande si le chat est encore là. J'écris mon texto à Bernice & Co. Puis je vais jeter un œil au message de Kim. Il y a deux messages reçus, mais ils ne sont pas de Kim :

Chat étrange dans la maison, régnant sur les lieux. Le frigo est désertique. As-tu TOUT *mangé ? Suis parti faire des courses.* Puis : *Où es-tu, ma bien-aimée ? Le frigo est plein comme un œuf à présent.*

Au début, je n'y comprends rien. Je les lis et je les relis. Mais ils sont tous les deux du même numéro – le numéro de Jack.

Je suis à peu près à quatre pas de la porte.

Table des matières

CATALOGUE

ACHEVÉ D'IMPRIMER
EN FÉVRIER 2015
SUR LES PRESSES
DE
L'IMPRIMERIE F. PAILLART
À ABBEVILLE
POUR LE COMPTE
DE SABINE WESPIESER ÉDITEUR

IMPRIMÉ EN FRANCE
NUMÉRO D'ÉDITEUR : 139
ISBN : 978-2-84805-181-9
DÉPÔT LÉGAL : AVRIL 2015